westermann

Heinrich von Kleist

Der zerbrochne Krug

Herausgegeben
und kommentiert von
Hans-Georg Schede

Das einzige als authentisch geltende Porträt des Schriftstellers Heinrich von Kleist (1777–1811), eine Miniatur des Malers Peter Friedel, die Kleist im April 1801 für seine damalige Verlobte Wilhelmine von Zenge anfertigen ließ. Farbige Miniatur auf Elfenbein, 7,5 x 5,5 cm

Heinrich von Kleist

Der zerbrochne Krug

Ein Lustspiel

Personen → Seite 98

Personen

Gerichtsrat → Seite 98

Walter, Gerichtsrat
Adam, Dorfrichter

Schreiber → Seite 98

Licht, Schreiber
Frau Marthe Rull
Eve, ihre Tochter
Veit Tümpel, ein Bauer
Ruprecht, sein Sohn
Frau Brigitte

Bedienter Diener

Ein Bedienter, Büttel, Mägde, etc.

Büttel → Seite 98

Die Handlung spielt in einem niederländischen Dorf bei Utrecht.

Handlung → Seite 98

Szene: Die Gerichtsstube

Erster Auftritt

Adam *sitzt und verbindet sich ein Bein.* **Licht** *tritt auf.*

Licht. Ei, was zum Henker, sagt, Gevatter Adam!
Was ist mit Euch geschehn? Wie seht Ihr aus?
Adam. Ja, seht. Zum Straucheln braucht's doch nichts,
als Füße.
Auf diesem glatten Boden, ist ein Strauch hier?
Gestrauchelt bin ich hier; denn jeder trägt
Den leidgen Stein zum Anstoß in sich selbst.
Licht. Nein, sagt mir, Freund! Den Stein trüg jeglicher – ?
Adam. Ja, in sich selbst!
Licht. Verflucht das!
Adam. Was beliebt?
Licht. Ihr stammt von einem lockern Ältervater,
Der so beim Anbeginn der Dinge fiel,
Und wegen seines Falls berühmt geworden;
Ihr seid doch nicht – ?
Adam. Nun?
Licht. Gleichfalls – ?
Adam. Ob ich – ? Ich glaube – ?
Hier bin ich hingefallen, sag ich Euch.
Licht. Unbildlich hingeschlagen?
Adam. Ja, unbildlich.
Es mag ein schlechtes Bild gewesen sein.
Licht. Wann trug sich die Begebenheit denn zu?
Adam. Jetzt, in dem Augenblick, da ich dem Bett

was zum Henker → Seite 98

Gevatter im engeren Sinn: »Taufpate, Taufzeuge«; im weiteren Sinn: »Verwandter, Freund, Nachbar« (DWDS, Der deutsche Wortschatz von 1600 bis heute)

Den Stein zum Anstoß hier: Die Ursache des Missgeschicks → Seite 99

Was beliebt? redensartlich: Was meint Ihr? Was wollt Ihr sagen?

Ältervater → Seite 100

Der so … berühmt geworden Anspielung auf den Sündenfall von Adam und Eva im Paradies

Unbildlich Nicht nur metaphorisch, sondern ganz buchstäblich

Entsteig. Ich hatte noch das Morgenlied
Im Mund, da stolpr' ich in den Morgen schon,
Und eh ich noch den Lauf des Tags beginne,
Renkt unser Herrgott mir den Fuß schon aus.
Licht. Und wohl den linken obenein?
Adam. Den linken?
Licht. Hier, den gesetzten?
Adam. Freilich!
Licht. Allgerechter!
Der ohnhin schwer den Weg der Sünde wandelt.
Adam. Der Fuß! Was! Schwer! Warum?
Licht. Der Klumpfuß?
Adam. Klumpfuß!
Ein Fuß ist, wie der andere, ein Klumpen.
Licht. Erlaubt! Da tut Ihr Eurem rechten Unrecht.
Der rechte kann sich dieser – Wucht nicht rühmen,
Und wagt sich eh'r aufs Schlüpfrige.
Adam. Ach, was!
Wo sich der eine hinwagt, folgt der andre.
Licht. Und was hat das Gesicht Euch so verrenkt?
Adam. Mir das Gesicht?
Licht. Wie? Davon wisst Ihr nichts?
Adam. Ich müsst ein Lügner sein – wie sieht's denn aus?
Licht. Wie's aussieht?
Adam. Ja, Gevatterchen.
Licht. Abscheulich!
Adam. Erklärt Euch deutlicher.
Licht. Geschunden ist's,
Ein Gräul zu sehn. Ein Stück fehlt von der Wange,
Wie groß? Nicht ohne Waage kann ich's schätzen.
Adam. Den Teufel auch!
Licht *bringt einen Spiegel.* Hier! Überzeugt Euch selbst!
Ein Schaf, das, eingehetzt von Hunden, sich

das Morgenlied → Seite 100

obenein Variante von ›obendrein‹: ›überdies, ausgerechnet‹

den gesetzten → Seite 100

Allgerechter als Ausruf (der Bestürzung) gängige Umschreibung für: Gott

Der ohnhin schwer den Weg der Sünde wandelt → Seite 100

Klumpfuß »[angeborene] Fehlbildung, bei der die Fußsohle nach innen und oben gedreht ist« (Duden) → Seite 100

ein Gräul ein Gräuel, höchst widerwärtig

schätzen hier: genauer sagen

Den Teufel auch! Redensart: Nicht zu fassen! So ein Mist!

eingehetzt von Hunden → Seite 100

Durch Dornen drängt, lässt nicht mehr Wolle sitzen,
Als Ihr, Gott weiß wo? Fleisch habt sitzen lassen.
Adam. Hm! Ja! 's ist wahr. Unlieblich sieht es aus.
Die Nas hat auch gelitten.
Licht. Und das Auge.
Adam. Das Auge nicht, Gevatter.
Licht. Ei, hier liegt
Querfeld ein Schlag, blutrünstig, straf mich Gott,
Als hätt ein Großknecht wütend ihn geführt.
Adam. Das ist der Augenknochen. – Ja, nun seht,
Das alles hatt ich nicht einmal gespürt.
Licht. Ja, ja! So geht's im Feuer des Gefechts.
Adam. Gefecht! Was! – Mit dem verfluchten Ziegenbock,
Am Ofen focht ich, wenn Ihr wollt. Jetzt weiß ich's.
Da ich das Gleichgewicht verlier, und gleichsam
Ertrunken in den Lüften um mich greife,
Fass ich die Hosen, die ich gestern Abend
Durchnässt an das Gestell des Ofens hing.
Nun fass ich sie, versteht Ihr, denke mich,
Ich Tor, daran zu halten, und nun reißt
Der Bund; Bund jetzt und Hos und ich, wir stürzen,
Und häuptlings mit dem Stirnblatt schmettr' ich auf
Den Ofen hin, just wo ein Ziegenbock
Die Nase an der Ecke vorgestreckt.
Licht *lacht.* Gut, gut.
Adam. Verdammt!
Licht. Der erste Adamsfall,
Den Ihr aus einem Bett hinaus getan.
Adam. Mein Seel! – Doch, was ich sagen wollte, was gibt's
Neues?
Licht. Ja, was es Neues gibt! Der Henker hol's,
Hätt ich's doch bald vergessen.
Adam. Nun?

Unlieblich (ironisch) Nicht gerade schön

straf mich Gott → Seite 100

Großknecht → Seite 100

der Augenknochen → Seite 100

im Feuer des Gefechts → Seite 100

Ziegenbock, / Am Ofen → Seite 100

wenn Ihr wollt wenn Ihr die Sache so bezeichnen wollt (als Gefecht)

die Hosen damals gängig als Pluralwort (wegen der beiden Hosenbeine)

häuptlings »kopfüber, mit dem Kopf voran« (Duden)

mit dem Stirnblatt → Seite 101

just gerade dort, exakt da

Mein Seel! → Seite 101

Erläuterungen zu dieser Seite → Seiten 101 und 102

Licht. Macht Euch bereit auf unerwarteten
Besuch aus Utrecht.
Adam. So?
Licht. Der Herr Gerichtsrat kömmt.
Adam. Wer kömmt?
Licht. Der Herr Gerichtsrat Walter kömmt, aus Utrecht.
Er ist in Revisionsbereisung auf den Ämtern,
Und heut noch trifft er bei uns ein.
Adam. Noch heut! Seid Ihr bei Trost?
Licht. So wahr ich lebe.
Er war in Holla, auf dem Grenzdorf, gestern,
Hat das Justizamt dort schon revidiert.
Ein Bauer sah zur Fahrt nach Huisum schon
Die Vorspannpferde vor den Wagen schirren.
Adam. Heut noch, er, der Gerichtsrat, her, aus Utrecht!
Zur Revision, der wackre Mann, der selbst
Sein Schäfchen schiert, dergleichen Fratzen hasst.
Nach Huisum kommen, und uns kujonieren!
Licht. Kam er bis Holla, kommt er auch bis Huisum.
Nehmt Euch in Acht.
Adam. Ach geht!
Licht. Ich sag es Euch.
Adam. Geht mir mit Eurem Märchen, sag ich Euch.
Licht. Der Bauer hat ihn selbst gesehn, zum Henker.
Adam. Wer weiß, wen der triefäugige Schuft gesehn.
Die Kerle unterscheiden ein Gesicht
Von einem Hinterkopf nicht, wenn er kahl ist.
Setzt einen Hut dreieckig auf mein Rohr,
Hängt ihm den Mantel um, zwei Stiefeln drunter,
So hält so'n Schubiack ihn für wen Ihr wollt.
Licht. Wohlan so zweifelt fort, ins Teufels Namen,
Bis er zur Tür eintritt.
Adam. Er, eintreten! –

Erläuterungen zu dieser Seite
→ Seiten 102 bis 105

Ohn uns ein Wort vorher gesteckt zu haben.
Licht. Der Unverstand! Als ob's der vorige
Revisor noch, der Rat Wachholder, wäre!
Es ist Rat Walter jetzt, der revidiert.
Adam. Wenngleich Rat Walter! Geht, lasst mich zufrieden.
Der Mann hat seinen Amtseid ja geschworen,
Und praktisiert, wie wir, nach den
Bestehenden Edikten und Gebräuchen.
Licht. Nun ich versichr' Euch, der Gerichtsrat Walter
Erschien in Holla unvermutet gestern,
Vis'tierte Kassen und Registraturen,
Und suspendierte Richter dort und Schreiber,
Warum? ich weiß nicht, ab officio.
Adam. Den Teufel auch? Hat das der Bauer gesagt?
Licht. Dies und noch mehr –
Adam. So?
Licht. Wenn Ihr's wissen wollt.
Denn in der Frühe heut sucht man den Richter,
Dem man in seinem Haus Arrest gegeben,
Und findet hinten in der Scheuer ihn
Am Sparren hoch des Daches aufgehangen.
Adam. Was sagt Ihr?
Licht. Hülf inzwischen kommt herbei,
Man löst ihn ab, man reibt ihn, und begießt ihn,
Ins nackte Leben bringt man ihn zurück.
Adam. So? Bringt man ihn?
Licht. Doch jetzo wird versiegelt,
In seinem Haus, vereidet und verschlossen,
Es ist, als wär er eine Leiche schon,
Und auch sein Richteramt ist schon beerbt.
Adam. Ei, Henker, seht! – Ein liederlicher Hund war's –
Sonst eine ehrliche Haut, so wahr ich lebe,
Ein Kerl, mit dem sich's gut zusammen war;

Erläuterungen zu dieser Seite → Seiten 105 und 106

Doch grausam liederlich, das muss ich sagen.
Wenn der Gerichtsrat heut in Holla war,
So ging's ihm schlecht, dem armen Kauz, das glaub ich.

Licht. Und dieser Vorfall einzig, sprach der Bauer,
Sei schuld, dass der Gerichtsrat noch nicht hier;
Zu Mittag treff er doch ohnfehlbar ein.

Adam. Zu Mittag! Gut, Gevatter! Jetzt gilt's Freundschaft.
Ihr wisst, wie sich zwei Hände waschen können.
Ihr wollt auch gern, ich weiß, Dorfrichter werden,
Und Ihr verdient's, bei Gott, so gut wie einer.
Doch heut ist noch nicht die Gelegenheit,
Heut lasst Ihr noch den Kelch vorübergehn.

Licht. Dorfrichter, ich! Was denkt Ihr auch von mir?

Adam. Ihr seid ein Freund von wohlgesetzter Rede,
Und Euren Cicero habt Ihr studiert
Trotz einem auf der Schul in Amsterdam.
Drückt Euren Ehrgeiz heut hinunter, hört Ihr?
Es werden wohl sich Fälle noch ergeben,
Wo Ihr mit Eurer Kunst Euch zeigen könnt.

Licht. Wir zwei Gevatterleute! Geht mir fort.

Adam.
Zu seiner Zeit, Ihr wisst's, schwieg auch der große
Demosthenes. Folgt hierin seinem Muster.
Und bin ich König nicht von Mazedonien,
Kann ich auf meine Art doch dankbar sein.

Licht. Geht mir mit Eurem Argwohn, sag ich Euch.
Hab ich jemals –?

Adam. Seht, ich, ich, für mein Teil,
Dem großen Griechen folg ich auch. Es ließe
Von Depositionen sich und Zinsen
Zuletzt auch eine Rede ausarbeiten:
Wer wollte solche Perioden drehn?

Licht. Nun, also!

Adam. Von solchem Vorwurf bin ich rein,
Der Henker hol's! Und alles, was es gilt,
Ein Schwank ist's etwa, der zur Nacht geboren,
Des Tags vorwitzgen Lichtstrahl scheut.
Licht. Ich weiß.
Adam. Mein Seel! Es ist kein Grund, warum ein Richter,
Wenn er nicht auf dem Richtstuhl sitzt,
Soll gravitätisch, wie ein Eisbär, sein.
Licht. Das sag ich auch.
Adam. Nun denn, so kommt Gevatter,
Folgt mir ein wenig zur Registratur;
Die Aktenstöße setz ich auf, denn die,
Die liegen wie der Turm zu Babylon.

Zweiter Auftritt

Ein Bedienter *tritt auf.* **Die Vorigen.** –
Nachher: **Zwei Mägde.**

Der Bediente.
Gott helf, Herr Richter! Der Gerichtsrat Walter
Lässt seinen Gruß vermelden, gleich wird er hier sein.
Adam. Ei, du gerechter Himmel! Ist er mit Holla
Schon fertig?
Der Bediente. Ja, er ist in Huisum schon.
Adam. He! Liese! Grete!
Licht. Ruhig, ruhig jetzt.
Adam. Gevatterchen!
Licht. Lasst Euern Dank vermelden.
Der Bediente. Und morgen reisen wir nach Hussahe.

Schwank → Seite 106

zur Nacht geboren in der Nacht (gleichsam als Ausgeburt eines Traums) entstanden

gravitätisch betont würdevoll, (übertrieben) ernst und gemessen

setz ich auf schichte ich auf

Turm zu Babylon → Seite 106

Die Vorigen Die bereits (in der vorigen Szene) Anwesenden

Gott helf eigentlich eine Floskel wie: Gesundheit! (etwa wenn jemand niest); hier eine einfache Grußformel

vermelden bestellen, ausrichten

Ei, du gerechter Himmel! Ausruf der Verwunderung und Bestürzung: Ei du lieber Gott!

Hussahe (siehe Seite 101 unten)

Was tu ich jetzt? Was lass ich? vgl. die Wendung ›tun und lassen‹

Adam. Was tu ich jetzt? Was lass ich?
Er greift nach seinen Kleidern.
Erste Magd *tritt auf.* Hier bin ich, Herr.

toll verrückt

Licht. Wollt Ihr die Hosen anziehn? Seid Ihr toll?
Zweite Magd *tritt auf.*
Hier bin ich, Herr Dorfrichter.

den Rock → Seite 106

Licht. Nehmt den Rock.
Adam *sieht sich um.*
Wer? Der Gerichtsrat?
Licht. Ach, die Magd ist es.

Beffchen → Seite 106

Adam. Die Beffchen! Mantel! Kragen!
Erste Magd. Erst die Weste!

Kragen → Seite 107

Adam. Was? – Rock aus! Hurtig!

Bedienten (siehe Seite 4)

Licht *zum Bedienten.* Der Herr Gerichtsrat werden
Hier sehr willkommen sein. Wir sind sogleich
Bereit ihn zu empfangen. Sagt ihm das.

lässt sich / Entschuldigen → Seite 107

Adam. Den Teufel auch! Der Richter Adam lässt sich
Entschuldigen.
Licht. Entschuldigen!
Adam. Entschuldgen.
Ist er schon unterwegs etwa?

bestellt gerufen, zu sich bestellt

Der Bediente. Er ist
Im Wirtshaus noch. Er hat den Schmied bestellt;
Der Wagen ging entzwei.

Mein Empfehl. → Seite 107

Adam. Gut. Mein Empfehl.
Der Schmied ist faul. Ich ließe mich entschuldgen.

purgiert mich → Seite 107

Ich hätte Hals und Beine fast gebrochen,
Schaut selbst, 's ist ein Spektakel, wie ich ausseh;
Und jeder Schreck purgiert mich von Natur.

Ich wäre krank. → Seite 108

Ich wäre krank.

Der Herr Gerichtsrat- wär sehr angenehm. / Wollt Ihr? → Seite 108

Licht. Seid Ihr bei Sinnen? –
Der Herr Gerichtsrat wär sehr angenehm.
– Wollt Ihr?

Adam. Zum Henker!
Licht. Was?
Adam. Der Teufel soll mich holen,
Ist's nicht so gut, als hätt ich schon ein Pulver!
Licht. Das fehlt noch, dass Ihr auf den Weg ihm leuchtet.
Adam. Margrethe! he! Der Sack voll Knochen! Liese!
Die beiden Mägde.
Hier sind wir ja. Was wollt Ihr?
Adam. Fort! sag ich.
Kuhkäse, Schinken, Butter, Würste, Flaschen,
Aus der Registratur geschafft! Und flink! –
Du nicht. Die andere. – Maulaffe! Du ja!
– Gotts Blitz, Margrethe! Liese soll, die Kuhmagd,
In die Registratur!
Die erste Magd geht ab.
Die zweite Magd. Sprecht, soll man Euch verstehn!
Adam.
Halt's Maul jetzt, sag ich –! Fort! schaff mir die Perücke!
Marsch! Aus dem Bücherschrank! Geschwind! Pack dich!
Die zweite Magd ab.
Licht *zum Bedienten.*
Es ist dem Herrn Gerichtsrat, will ich hoffen,
Nichts Böses auf der Reise zugestoßen?
Der Bediente. Je, nun! Wir sind im Hohlweg umgeworfen.
Adam. Pest! Mein geschundner Fuß! Ich krieg die Stiefeln –
Licht. Ei, du mein Himmel! Umgeworfen, sagt Ihr?
Doch keinen Schaden weiter –?
Der Bediente. Nichts von Bedeutung.
Der Herr verstauchte sich die Hand ein wenig.
Die Deichsel brach.
Adam. Dass er den Hals gebrochen!
Licht. Die Hand verstaucht! Ei, Herr Gott! Kam der Schmied schon?

ein Pulver ein Abführmittel (ein ›Purgativ‹, siehe oben Vers 186)

dass Ihr auf den Weg ihm leuchtet → Seite 108

Der Sack voll Knochen! → Seite 108

geschafft herbeigeholt

Maulaffe → Seite 108

Gotts Blitz Ausruf der Ungeduld (»Gottes Blitz soll einschlagen!«)

Kuhmagd → Seite 108

Perücke weiß gepuderte Perücke als Teil der Amtstracht (vgl. Vers 235)

Je, nun! Wie man's nimmt!

Wir sind im Hohlweg umgeworfen! → Seite 108

Pest! Verflucht!

Dass er den Hals gebrochen! Hätte er sich doch bloß den Hals gebrochen!

Der Bediente. Ja, für die Deichsel.
Licht. Was?
Adam. Ihr meint, der Doktor.
Licht. Was?
Der Bediente. Für die Deichsel?
Adam. Ach, was! Für die Hand.
Der Bediente.
Adies, ihr Herrn. – Ich glaub, die Kerls sind toll.
Ab.

Adies im 18. und 19. Jahrhundert »volkstümlich für adieu« (Duden)

Licht. Den Schmied meint' ich.
Adam. Ihr gebt euch bloß, Gevatter.
Licht. Wieso?
Adam. Ihr seid verlegen.
Licht. Was!
Die erste Magd tritt auf.
Adam. He! Liese!
Was hast du da?
Erste Magd. Braunschweiger Wurst, Herr Richter.

Ihr gebt Euch bloß Ihr gebt Euch eine Blöße (eine Redewendung, die auf die Fechtkunst zurückgeht)

Adam. Das sind Pupillenakten.
Licht. Ich, verlegen!
Adam. Die kommen wieder zur Registratur.
Erste Magd. Die Würste?
Adam. Würste! Was! Der Einschlag hier.
Licht. Es war ein Missverständnis.
Die zweite Magd *tritt auf.*
Im Bücherschrank,
Herr Richter, find ich die Perücke nicht.
Adam. Warum nicht?
Zweite Magd. Hm! Weil Ihr –
Adam. Nun?
Zweite Magd. Gestern Abend –
Glock eilf –
Adam. Nun? Werd ich's hören?

Pupillenakten → Seite 108

Der Einschlag »Ein Brief oder andere bewegliche Sache, welche in einen Brief oder ein Paket mit eingeschlagen wird« (Adelung, Grammatisch-kritisches Wörterbuch); hier wohl: die Akte

Glock eilf (genau) um elf Uhr → Seite 108

Zweite Magd. Ei, Ihr kamt ja,
Besinnt Euch, ohne die Perück ins Haus.
Adam. Ich, ohne die Perücke?
Zweite Magd. In der Tat.
Da ist die Liese, die's bezeugen kann.
Und Eure andr' ist beim Perückenmacher.
Adam. Ich wär –?
Erste Magd. Ja, meiner Treu, Herr Richter Adam!
Kahlköpfig wart Ihr, als Ihr wiederkamt;
Ihr spracht, Ihr wärt gefallen, wisst Ihr nicht?
Das Blut musst' ich Euch noch vom Kopfe waschen.
Adam. Die Unverschämte!
Erste Magd. Ich will nicht ehrlich sein.
Adam. Halt's Maul, sag ich, es ist kein wahres Wort.
Licht. Habt Ihr die Wund seit gestern schon?
Adam. Nein, heut.
Die Wunde heut und gestern die Perücke.
Ich trug sie weiß gepudert auf dem Kopfe,
Und nahm sie mit dem Hut, auf Ehre, bloß,
Als ich ins Haus trat, aus Versehen ab.
Was die gewaschen hat, das weiß ich nicht.
– Scher dich zum Satan, wo du hingehörst!
In die Registratur!
Erste Magd ab.
Geh, Margarethe!
Gevatter Küster soll mir seine borgen;
In meine hätt die Katze heute Morgen
Gejungt, das Schwein! Sie läge eingesäuet
Mir unterm Bette da, ich weiß nun schon.
Licht. Die Katze? Was? Seid Ihr –?
Adam. So wahr ich lebe.
Fünf Junge, gelb und schwarz, und eins ist weiß.
Die schwarzen will ich in der Vecht ersäufen.

meiner Treu → Seite 108

Ich will nicht ehrlich sein. → Seite 109

es ist kein wahres Wort es ist kein wahres Wort daran (an dem, was du sagst)

auf Ehre Redewendung: wie ich bei meiner Ehre versichere

Was die gewaschen hat vgl. oben Vers 230: »Das Blut musst' ich Euch noch vom Kopfe waschen.«

Satan Teufel

Küster Kirchendiener; »Person, die (beruflich oder ehrenamtlich) den Kirchenraum für eine Messe, einen Gottesdienst vorbereitet und Hilfs- bzw. Hausmeisterdienste ausführt« (DWDS)

Vecht Name des Mündungsarms des Rheins bei Utrecht

Was soll man machen? Wollt Ihr eine haben?
Licht. In die Perücke?
Adam. Der Teufel soll mich holen!
Ich hatte die Perücke aufgehängt,
Auf einen Stuhl, da ich zu Bette ging,
Den Stuhl berühr ich in der Nacht, sie fällt –
Licht. Drauf nimmt die Katze sie ins Maul –
Adam. Mein Seel –
Licht. Und trägt sie unters Bett und jungt darin.
Adam. Ins Maul? Nein –
Licht. Nicht? Wie sonst?
Adam. Die Katz? Ach, was!
Licht. Nicht? Oder Ihr vielleicht?
Adam. Ins Maul! Ich glaube – !
Ich stieß sie mit dem Fuße heut hinunter,
Als ich es sah.
Licht. Gut, gut.
Adam. Kanaillen die!
Die balzen sich und jungen, wo ein Platz ist.
Zweite Magd *kichernd.*
So soll ich hingehn?
Adam. Ja, und meinen Gruß
An Muhme Schwarzgewand, die Küsterin.
Ich schickt' ihr die Perücke unversehrt
Noch heut zurück – ihm brauchst du nichts zu sagen.
Verstehst du mich?
Zweite Magd. Ich werd es schon bestellen.
Ab.

Der Teufel soll mich holen! Redewendung, die als starke Bekräftigung dient: Der Teufel soll mich holen, wenn ich nicht die Wahrheit sage!

da als

Kanaillen Eine Kanaille ist eine schurkische Person oder eine »Gruppe von Menschen, die als asozial, verbrecherisch oder Ähnliches angesehen wird« (Duden).

balzen sich umwerben einander

Muhme im engeren Sinn »Tante«, im weiteren Sinn »ältere Verwandte, Gevatterin« (DWDS)

Schwarzgewand → Seite 109

die Küsterin die Frau des Küsters

Dritter Auftritt

Adam *und* **Licht.**

Adam. Mir ahndet heut nichts Guts, Gevatter Licht.
Licht. Warum?
Adam. Es geht bunt alles überecke mir.
Ist nicht auch heut Gerichtstag?
Licht. Allerdings.
Die Kläger stehen vor der Türe schon.
Adam. – Mir träumt', es hätt ein Kläger mich ergriffen,
Und schleppte vor den Richtstuhl mich; und ich,
Ich säße gleichwohl auf dem Richtstuhl dort,
Und schält' und hunzt' und schlingelte mich herunter,
Und judiziert' den Hals ins Eisen mir.
Licht. Wie? Ihr Euch selbst?
Adam. So wahr ich ehrlich bin.
Drauf wurden beide wir zu eins, und flohn,
Und mussten in den Fichten übernachten.
Licht. Nun? Und der Traum meint Ihr – ?
Adam. Der Teufel hol's.
Wenn's auch der Traum nicht ist, ein Schabernack,
Sei's, wie es woll, ist wider mich im Werk!
Licht. Die läppsche Furcht! Gebt Ihr nur vorschriftsmäßig,
Wenn der Gerichtsrat gegenwärtig ist,
Recht den Parteien auf dem Richterstuhle,
Damit der Traum vom ausgehunzten Richter
Auf andre Art nicht in Erfüllung geht.

ahndet früher verbreitete Variante von ›ahnt‹

Es geht bunt alles überecke mir. → Seite 109

Gerichtstag Sitzungstag, an dem Streitfälle vor Gericht verhandelt werden

Mir träumt' Ich träumte

Ich schält' und hunzt' und schlingelte mich herunter → Seite 109

judiziert' den Hals ins Eisen mir → Seite 109

So wahr ich ehrlich bin. eine weitere Bekräftigungsformel, vgl. Vers 231

den Fichten → Seite 109

ein Schabernack / Sei's, wie es woll, ist wider mich im Werk! auf die eine oder andere Weise will mir hier jemand einen üblen Streich spielen!

Die Welch

ausgehunzten → Seite 109

Vierter Auftritt

Der Gerichtsrat Walter *tritt auf.* **Die Vorigen.**

sich gewärtgen gewärtig sein, erwarten, mit einem Ereignis rechnen

unsrer Staaten → Seite 109

entlassen verabschieden, ziehen lassen

Inzwischen ich Ich für mein Teil; ich jedenfalls

Das Obertribunal Der hohe Gerichtshof

Die Rechtspfleg auf dem platten Land → Seite 109

strenge Weisung strengen Verweis, harte Konsequenzen

Eur Gnaden → Seite 109

hie und da → Seite 110

Den alten Brauch im Recht → Seite 110

gleich auch

Seit Kaiser Karl dem Fünften → Seite 110

Walter. Gott grüß Euch, Richter Adam.
Adam. Ei willkommen!
Willkommen, gnädger Herr, in unserm Huisum!
Wer konnte, du gerechter Gott, wer konnte
So freudigen Besuches sich gewärtgen.
Kein Traum, der heute Früh Glock achte noch
Zu solchem Glücke sich versteigen durfte.
Walter.
Ich komm ein wenig schnell, ich weiß; und muss
Auf dieser Reis, in unsrer Staaten Dienst,
Zufrieden sein, wenn meine Wirte mich
Mit wohlgemeintem Abschiedsgruß entlassen.
Inzwischen ich, was meinen Gruß betrifft,
Ich mein's von Herzen gut, schon wenn ich komme.
Das Obertribunal in Utrecht will
Die Rechtspfleg auf dem platten Land verbessern,
Die mangelhaft von mancher Seite scheint,
Und strenge Weisung hat der Missbrauch zu erwarten.
Doch mein Geschäft auf dieser Reis ist noch
Ein strenges nicht, sehn soll ich bloß, nicht strafen,
Und find ich gleich nicht alles, wie es soll,
Ich freue mich, wenn es erträglich ist.
Adam. Fürwahr, so edle Denkart muss man loben.
Eur Gnaden werden hie und da, nicht zweifl' ich,
Den alten Brauch im Recht zu tadeln wissen;
Und wenn er in den Niederlanden gleich
Seit Kaiser Karl dem Fünften schon besteht:
Was lässt sich in Gedanken nicht erfinden?
Die Welt, sagt unser Sprichwort, wird stets klüger,

Und alles liest, ich weiß, den Puffendorf;
Doch Huisum ist ein kleiner Teil der Welt,
Auf den nicht mehr, nicht minder, als sein Teil nur
Kann von der allgemeinen Klugheit kommen.
Klärt die Justiz in Huisum gütigst auf,
Und überzeugt Euch, gnädger Herr, Ihr habt
Ihr noch sobald den Rücken nicht gekehrt,
Als sie auch völlig Euch befriedgen wird;
Doch fändet Ihr sie heut im Amte schon
Wie Ihr sie wünscht, mein Seel, so wär's ein Wunder,
Da sie nur dunkel weiß noch, was Ihr wollt.

Walter. Es fehlt an Vorschriften, ganz recht. Vielmehr
Es sind zu viel, man wird sie sichten müssen.

Adam. Ja, durch ein großes Sieb. Viel Spreu! Viel Spreu!

Walter. Das ist dort der Herr Schreiber?

Licht. Der Schreiber Licht,
Zu Eurer hohen Gnaden Diensten. Pfingsten
Neun Jahre, dass ich im Justizamt bin.

Adam *bringt einen Stuhl.*
Setzt Euch.

Walter. Lasst sein.

Adam. Ihr kommt von Holla schon.

Walter. Zwei kleine Meilen – Woher wisst Ihr das?

Adam. Woher? Eur Gnaden Diener –

Licht. Ein Bauer sagt' es,
Der eben jetzt von Holla eingetroffen.

Walter. Ein Bauer?

Adam. Aufzuwarten.

Walter. – Ja! Es trug sich
Dort ein unangenehmer Vorfall zu,
Der mir die heitre Laune störte,
Die in Geschäften uns begleiten soll. –
Ihr werdet davon unterrichtet sein?

den Puffendorf → Seite 110

Ihr habt … befriedgen wird kaum seid Ihr (nachdem Ihr uns belehrt habt) wieder abgereist, wird alles ganz so sein, wie Ihr es erwartet beziehungsweise wünscht

Da sie nur dunkel weiß noch Da sie (die hiesige Justiz) bisher nur sehr unklare Vorstellungen davon hat

Viel Spreu! → Seite 110

Pfingsten / Neun Jahre An Pfingsten sind es neun Jahre

im Justizamt im Justizdienst

Zwei kleine Meilen → Seite 110

Aufzuwarten → Seite 110

Geschäften hier: Amtsgeschäften

unterrichtet sein gehört haben

Adam. Wär's wahr, gestrenger Herr? Der Richter Pfaul,
Weil er Arrest in seinem Haus empfing,
Verzweiflung hätt den Toren überrascht,
Er hing sich auf?
Walter. Und machte Übel ärger.
Was nur Unordnung schien, Verworrenheit,
Nimmt jetzt den Schein an der Veruntreuung,
Die das Gesetz, Ihr wisst's, nicht mehr verschont. –
Wie viele Kassen habt Ihr?
Adam. Fünf, zu dienen.
Walter. Wie, fünf! Ich stand im Wahn – Gefüllte Kassen?
Ich stand im Wahn, dass Ihr nur vier –
Adam. Verzeiht!
Mit der Rhein-Inundations-Kollekten-Kasse?
Walter. Mit der Inundations-Kollekten-Kasse!
Doch jetzo ist der Rhein nicht inundiert,
Und die Kollekten gehn mithin nicht ein.
– Sagt doch, Ihr habt ja wohl Gerichtstag heut?
Adam. Ob wir – ?
Walter. Was?
Licht. Ja, den ersten in der Woche.
Walter. Und jene Schar von Leuten, die ich draußen
Auf Eurem Flure sah, sind das – ?
Adam. Das werden –
Licht. Die Kläger sind's, die sich bereits versammeln.
Walter. Gut. Dieser Umstand ist mir lieb, ihr Herren.
Lasst diese Leute, wenn's beliebt, erscheinen.
Ich wohne dem Gerichtsgang bei; ich sehe
Wie er in Eurem Huisum üblich ist.
Wir nehmen die Registratur, die Kassen,
Nachher, wenn diese Sache abgetan.
Adam. Wie Ihr befehlt. – Der Büttel! He! Hanfriede!

gestrenger Herr → Seite 111
überrascht übermannt
der Veruntreuung → Seite 111
nicht mehr verschont → Seite 111
Ich stand im Wahn → Seite 111
Rhein-Inundations-Kollekten-Kasse → Seite 111
inundiert über die Ufer getreten
Kollekten → Seite 111
mithin folglich, demnach
wenn's beliebt → Seite 111
wohne … bei → Seite 112
nehmen → Seite 112
abgetan erledigt ist, beendet ist
Hanfriede → Seite 112

Fünfter Auftritt

Die zweite Magd *tritt auf.* **Die Vorigen.**

Zweite Magd. Gruß von Frau Küsterin, Herr Richter Adam;
So gern sie die Perück Euch auch –
Adam. Wie? Nicht?
Zweite Magd. Sie sagt, es wäre Morgenpredigt heute;
Der Küster hätte selbst die eine auf,
Und seine andre wäre unbrauchbar,
Sie sollte heut zu dem Perückenmacher.
Adam. Verflucht!
Zweite Magd. Sobald der Küster wiederkömmt,
Wird sie jedoch sogleich Euch seine schicken.
Adam. Auf meine Ehre, gnädger Herr –
Walter. Was gibt's?
Adam. Ein Zufall, ein verwünschter, hat um beide
Perücken mich gebracht. Und jetzt bleibt mir
Die dritte aus, die ich mir leihen wollte:
Ich muss kahlköpfig den Gerichtstag halten.
Walter. Kahlköpfig!
Adam. Ja, beim ewgen Gott! So sehr
Ich ohne der Perücke Beistand um
Mein Richteransehn auch verlegen bin.
– Ich müsst' es auf dem Vorwerk noch versuchen,
Ob mir vielleicht der Pächter – ?
Walter. Auf dem Vorwerk!
Kann jemand anders hier im Orte nicht – ?
Adam. Nein, in der Tat –
Walter. Der Prediger vielleicht.
Adam. Der Prediger? Der –
Walter. Oder Schulmeister.
Adam. Seit der Sackzehnde abgeschafft, Eur Gnaden,

wiederkömmt (siehe die Verse 68 und 69)

So sehr … verlegen bin. → Seite 112

Vorwerk »zu einem größeren Gut gehörender, kleinerer, abgelegener Bauernhof« (Duden)

Pächter → Seite 112

Prediger örtliche Geistliche

Schulmeister Schullehrer (wohl der einzige Lehrer am Ort)

Sackzehnde die Abgabe (»der Zehnte«), die die Bauern vom abgedroschenen Korn an den Pfarrer und den Schulmeister zu leisten hatten

Wozu ich hier im Amte mitgewirkt,
Kann ich auf beider Dienste nicht mehr rechnen.

Walter. Nun, Herr Dorfrichter? Nun? Und der Gerichtstag?
Denkt Ihr zu warten, bis die Haar' Euch wachsen?

Adam. Ja, wenn Ihr mir erlaubt, schick ich aufs Vorwerk.

Walter. – Wie weit ist's auf das Vorwerk?

Adam. Ei! Ein kleines
Halbstündchen.

Walter. Eine halbe Stunde, was!
Und Eurer Sitzung Stunde schlug bereits.
Macht fort! Ich muss noch heut nach Hussahe.

Adam. Macht fort! Ja –

Walter. Ei, so pudert Euch den Kopf ein!
Wo Teufel auch, wo ließt Ihr die Perücken?
– Helft Euch so gut Ihr könnt. Ich habe Eile.

Adam. Auch das.

Der Büttel *tritt auf.* Hier ist der Büttel!

Adam. Kann ich inzwischen
Mit einem guten Frühstück, Wurst aus Braunschweig,
Ein Gläschen Danziger etwa –

Walter. Danke sehr.

Adam. Ohn Umständ!

Walter. Dank, Ihr hört's, hab's schon genossen.
Geht Ihr, und nutzt die Zeit, ich brauche sie
In meinem Büchlein etwas mir zu merken.

Adam. Nun, wenn Ihr so befehlt – Komm, Margarethe!

Walter. – Ihr seid ja bös verletzt, Herr Richter Adam.
Seid Ihr gefallen?

Adam. – Hab einen wahren Mordschlag
Heut Früh, als ich dem Bett entstieg, getan:
Seht, gnädger Herr Gerichtsrat, einen Schlag
Ins Zimmer hin, ich glaubt' es wär ins Grab.

Walter. Das tut mir leid. – Es wird doch weiter nicht

schick ich aufs Vorwerk entsende ich jemanden zum Vorwerk

Macht fort! Macht voran! Beeilt Euch!

inzwischen derweil; um die Wartezeit zu überbrücken

Danziger Das ›Danziger Goldwasser‹ war ein berühmter Gewürzlikör.

Danke sehr. Nein danke.

Ohn Umständ! Das macht auch gar keine Umstände!

genossen gegessen und getrunken

brauche verwende, nutze

merken notieren

wahren Mordschlag fürchterlichen Fall

Von Folgen sein?
Adam. Ich denke nicht. Und auch
In meiner Pflicht soll's weiter mich nicht stören. –
Erlaubt!
Walter. Geht, geht!
Adam *zum Büttel.* Die Kläger rufst du – Marsch!
Adam, die Magd und der Büttel ab.

Erlaubt! kurz für: Gestattet mir, Euch für einen Moment allein zu lassen!

Sechster Auftritt

Frau Marthe, Eve, Veit *und* **Ruprecht** *treten auf.* –
Walter *und* **Licht** *im Hintergrunde.*

Frau Marthe. Ihr krugzertrümmerndes Gesindel, ihr!
Ihr sollt mir büßen, ihr!
Veit. Sei Sie nur ruhig,
Frau Marth! Es wird sich alles hier entscheiden.
Frau Marthe.
O ja. Entscheiden. Seht doch. Den Klugschwätzer.
Den Krug mir, den zerbrochenen, entscheiden.
Wer wird mir den geschiednen Krug entscheiden?
Hier wird entschieden werden, dass geschieden
Der Krug mir bleiben soll. Für so'n Schiedsurteil
Geb ich noch die geschiednen Scherben nicht.
Veit. Wenn Sie sich Recht erstreiten kann, Sie hört's,
Ersetz ich ihn.
Frau Marthe. Er mir den Krug ersetzen.
Wenn ich mir Recht erstreiten kann, ersetzen.
Setz Er den Krug mal hin, versuch Er's mal,
Setz Er'n mal hin auf das Gesims! Ersetzen!

Gesims »waagerecht aus einer Mauer hervortretendes, fensterbrettartiges Bauteil zur Gliederung von Außenwänden« (Duden) *kein Gebein* hier: keine Beine

Den Krug, der kein Gebein zum Stehen hat,
Zum Liegen oder Sitzen hat, ersetzen!

geifert schimpft, sabbelt

Veit. Sie hört's! Was geifert Sie? Kann man mehr tun?
Wenn einer Ihr von uns den Krug zerbrochen,
Soll Sie entschädigt werden.

Frau Marthe. Ich entschädigt!
Als ob ein Stück von meinem Hornvieh spräche.
Meint Er, dass die Justiz ein Töpfer ist?

die Hochmögenden (meist in spöttischer Absicht) all die einflussreichen, angesehenen Leute

Und kämen die Hochmögenden und bänden
Die Schürze vor, und trügen ihn zum Ofen,
Die könnten sonst was in den Krug mir tun,
Als ihn entschädigen. Entschädigen!

Ofen Brennofen, in dem Töpferware ihre feste, dauerhafte Form erhält

Ruprecht. Lass Er sie, Vater. Folg er mir. Der Drache!
's ist der zerbrochne Krug nicht, der sie wurmt,
Die Hochzeit ist es, die ein Loch bekommen,
Und mit Gewalt hier denkt sie sie zu flicken.
Ich aber setze noch den Fuß eins drauf:
Verflucht bin ich, wenn ich die Metze nehme.

Ich aber setze noch den Fuß eins drauf → Seite 112

Metze → Seite 112

Flaps »Lümmel, Flegel« (DWDS)

Frau Marthe. Der eitle Flaps! Die Hochzeit ich hier flicken!
Die Hochzeit, nicht des Flickdrahts, unzerbrochen
Nicht einen von des Kruges Scherben wert.
Und stünd die Hochzeit blankgescheuert vor mir,
Wie noch der Krug auf dem Gesimse gestern,
So fasst' ich sie beim Griff jetzt mit den Händen,
Und schlüg sie gellend ihm am Kopf entzwei,
Nicht aber hier die Scherben möcht' ich flicken!
Sie flicken!

gellend mit schrillem Klang

möcht' ich würde ich … wollen

Eve. Ruprecht!

Ruprecht. Fort du –!

Eve. Liebster Ruprecht!

lüderliche Variante zu: liederliche (siehe Vers 122)

Ruprecht. Mir aus den Augen!

Eve. Ich beschwöre dich.

Ruprecht. Die lüderliche –! Ich mag nicht sagen, was.

Eve. Lass mich ein einzges Wort dir heimlich –
Ruprecht. Nichts!
Eve. – Du gehst zum Regimente jetzt, o Ruprecht,
Wer weiß, wenn du erst die Muskete trägst,
Ob ich dich je im Leben wiedersehe.
Krieg ist's, bedenke, Krieg, in den du ziehst:
Willst du mit solchem Grolle von mir scheiden?
Ruprecht.
Groll? Nein, bewahr mich Gott, das will ich nicht.
Gott schenk dir so viel Wohlergehn, als er
Erübrigen kann. Doch kehrt' ich aus dem Kriege
Gesund, mit erzgegossnem Leib zurück,
Und würd in Huisum achtzig Jahre alt,
So sagt' ich noch im Tode zu dir: Metze!
Du willst's ja selber vor Gericht beschwören.
Frau Marthe *zu Eve.*
Hinweg! Was sagt' ich dir? Willst du dich noch
Beschimpfen lassen? Der Herr Korporal
Ist was für dich, der würdge Holzgebein,
Der seinen Stock im Militär geführt,
Und nicht dort der Maulaffe, der dem Stock
Jetzt seinen Rücken bieten wird. Heut ist
Verlobung, Hochzeit, wäre Taufe heute,
Es wär mir recht, und mein Begräbnis leid ich,
Wenn ich dem Hochmut erst den Kamm zertreten,
Der mir bis an die Krüge schwillet.
Eve. Mutter!
Lasst doch den Krug! Lasst mich doch in der Stadt
versuchen,
Ob ein geschickter Handwerksmann die Scherben,
Nicht wieder Euch zur Lust zusammenfügt.
Und wär's um ihn geschehn, nehmt meine ganze
Sparbüchse hin, und kauft Euch einen neuen.

zum Regimente zum Militär (Ein Regiment ist ein größerer Truppenverband.)

Muskete Die Muskete ist ein Vorläufer des modernen Gewehrs.

mit erzgegossnem Leib wohl: mit ›stählernem‹ (im Kampf gestähltem) Körper

Herr Korporal Herr Unteroffizier

der würdge Holzgebein → Seite 113

seinen Stock im Militär geführt → Seite 113

leid ich ertrag ich gern

den Kamm zertreten, / Der mir bis an die Krüge schwillet → Seite 113

Euch zur Lust ganz nach Euren Vorstellungen und zu Eurer Freude und Zufriedenheit

Wer wollte doch um einen irdnen Krug,
Und stammt' er von Herodes' Zeiten her,
Solch einen Aufruhr, so viel Unheil stiften.

Frau Marthe.
Du sprichst, wie du's verstehst. Willst du etwa
Die Fiedel tragen, Evchen, in der Kirche
Am nächsten Sonntag reuig Buße tun?
Dein guter Name lag in diesem Topfe,
Und vor der Welt mit ihm ward er zerstoßen,
Wenn auch vor Gott nicht, und vor mir und dir.
Der Richter ist mein Handwerksmann, der Schergen,
Der Block ist's, Peitschenhiebe, die es braucht,
Und auf den Scheiterhaufen das Gesindel,
Wenn's unsre Ehre weiß zu brennen gilt,
Und diesen Krug hier wieder zu glasieren.

Siebenter Auftritt

Adam *im Ornat, doch ohne Perücke, tritt auf.*
Die Vorigen.

Adam *für sich.*
Ei, Evchen. Sieh! Und der vierschrötge Schlingel,
Der Ruprecht! Ei, was Teufel, sieh! die ganze Sippschaft!
– Die werden mich doch nicht bei mir verklagen?
Eve. O liebste Mutter, folgt mir, ich beschwör Euch,
Lasst diesem Unglückszimmer uns entfliehen!
Adam. Gevatter! Sagt mir doch, was bringen die?
Licht. Was weiß ich? Lärm um nichts; Lappalien.
Es ist ein Krug zerbrochen worden, hör ich.

irdnen aus (gebranntem) Ton gefertigten

von Herodes' Zeiten her → Seite 113

Du sprichst, wie du's verstehst. → Seite 114

Die Fiedel → Seite 114

in der Kirche … Buße tun → Seite 114

Dein guter Name → Seite 115

Schergen → Seite 115

Block → Seite 115

weiß zu brennen → Seite 115

zu glasieren → Seite 115

im Ornat in der Amtstracht

vierschrötge Schlingel → Seite 115

Sippschaft (salopp und abwertend) Verwandtschaft

Lappalien Belanglosigkeiten, höchst unbedeutende Dinge

Adam. Ein Krug! So! Ei! – Ei, wer zerbrach den Krug?
Licht. Wer ihn zerbrochen?
Adam. Ja, Gevatterchen.
Licht. Mein Seel, setzt Euch: so werdet Ihr's erfahren.
Adam *heimlich.* Evchen!
Eve *gleichfalls.* Geh Er.
Adam. Ein Wort.
Eve. Ich will nichts wissen.
Adam. Was bringt ihr mir?
Eve. Ich sag Ihm, Er soll gehn.
Adam. Evchen! Ich bitte dich! Was soll mir das bedeuten?
Eve. Wenn Er nicht gleich –! Ich sag's Ihm, lass Er mich.
Adam *zu Licht.*
Gevatter, hört, mein Seel, ich halt's nicht aus.
Die Wund am Schienbein macht mir Übelkeiten;
Führt Ihr die Sach, ich will zu Bette gehn.
Licht. Zu Bett –? Ihr wollt –? Ich glaub, Ihr seid verrückt.
Adam. Der Henker hol's. Ich muss mich übergeben.
Licht. Ich glaub, Ihr rast, im Ernst. Soeben kommt Ihr –?
– Meinthalben. Sagt's dem Herrn Gerichtsrat dort.
Vielleicht erlaubt er's. – Ich weiß nicht, was Euch fehlt?
Adam *wieder zu Even.*
Evchen! Ich flehe dich! Um alle Wunden!
Was ist's, das ihr mir bringt?
Eve. Er wird's schon hören.
Adam. Ist's nur der Krug dort, den die Mutter hält,
Den ich so viel –?
Eve. Ja, der zerbrochne Krug nur.
Adam. Und weiter nichts?
Eve. Nichts weiter.
Adam. Nichts? Gewiss nichts?
Eve. Ich sag Ihm, geh Er. Lass Er mich zufrieden.
Adam. Hör du, bei Gott, sei klug, ich rat es dir.

heimlich im Flüsterton

Ein Wort Nur ein paar Worte. So hört doch.

Führt Ihr die Sach Übernehmt Ihr die Sache; führt Ihr die Verhandlung

rast seid irrsinnig, seid übergeschnappt

Soeben kommt ihr –? ›Verschluckt‹ ist vermutlich: … aus dem Bett

Meinthalben Meinetwegen; von mir aus

flehe dich flehe dich an

Um alle Wunden! verkürzter Ausruf der Bestürzung und Beschwörung: Um alle Wunden Christi!

Erläuterungen zu dieser Seite → Seiten 115 bis 117

Eve. Er, Unverschämter!
Adam. In dem Attest steht
Der Name jetzt, Frakturschrift, Ruprecht Tümpel.
Hier trag ich's fix und fertig in der Tasche;
Hörst du es knackern, Evchen? Sieh, das kannst du,
Auf meine Ehr, heut übers Jahr dir holen,
Dir Trauerschürz und Mieder zuzuschneiden,
Wenn's heißt: Der Ruprecht in Batavia
Krepiert' – ich weiß, an welchem Fieber nicht,
War's gelb, war's scharlach, oder war es faul.
Walter. Sprecht nicht mit den Partein, Herr Richter Adam,
Vor der Session! Hier setzt Euch, und befragt sie.
Adam. Was sagt Er? – Was befehlen Euer Gnaden?
Walter. Was ich befehl? – Ich sagte deutlich Euch,
Dass Ihr nicht heimlich vor der Sitzung sollt
Mit den Partein zweideutge Sprache führen.
Hier ist der Platz, der Eurem Amt gebührt,
Und öffentlich Verhör, was ich erwarte.
Adam *für sich.*
Verflucht! Ich kann mich nicht dazu entschließen –!
– Es klirrte etwas, da ich Abschied nahm –
Licht *ihn aufschreckend.*
Herr Richter! Seid Ihr –?
Adam. Ich? Auf Ehre nicht!
Ich hatte sie behutsam drauf gehängt,
Und müsst' ein Ochs gewesen sein –
Licht. Was?
Adam. Was?
Licht. Ich fragte –?
Adam. Ihr fragtet, ob ich –?
Licht. Ob Ihr taub seid, fragt' ich.
Dort Seiner Gnaden haben Euch gerufen.
Adam. Ich glaubte –? Wer ruft?

Licht. Der Herr Gerichtsrat dort.
Adam *für sich.* Ei! Hol's der Henker auch! Zwei Fälle gibt's,
Mein Seel, nicht mehr, und wenn's nicht biegt, so bricht's.
– Gleich! Gleich! Gleich! Was befehlen Euer Gnaden?
Soll jetzt die Prozedur beginnen?
Walter. Ihr seid ja sonderbar zerstreut. Was fehlt Euch?
Adam. – Auf Ehr! Verzeiht. Es hat ein Perlhuhn mir,
Das ich von einem Indienfahrer kaufte,
Den Pips: Ich soll es nudeln, und versteh's nicht,
Und fragte dort die Jungfer bloß um Rat.
Ich bin ein Narr in solchen Dingen, seht,
Und meine Hühner nenn ich meine Kinder.
Walter. Hier. Setzt Euch. Ruft den Kläger und vernehmt ihn.
Und Ihr, Herr Schreiber, führt das Protokoll.
Adam. Befehlen Euer Gnaden den Prozess
Nach den Formalitäten, oder so,
Wie er in Huisum üblich ist, zu halten?
Walter. Nach den gesetzlichen Formalitäten,
Wie er in Huisum üblich ist, nicht anders.
Adam. Gut, gut. Ich werd Euch zu bedienen wissen.
Seid Ihr bereit, Herr Schreiber?
Licht. Zu Euren Diensten.
Adam. – So nimm, Gerechtigkeit, denn deinen Lauf!
Klägere trete vor.
Frau Marthe. Hier, Herr Dorfrichter!
Adam. Wer seid Ihr?
Frau Marthe. Wer –?
Adam. Ihr.
Frau Marthe. Wer ich –?
Adam. Wer Ihr seid!
Wes Namens, Standes, Wohnorts, und so weiter.
Frau Marthe. Ich glaub, Er spaßt, Herr Richter.
Adam. Spaßen, was!

Zwei Fälle … so bricht's. → Seite 117

die Prozedur die Verhandlung, das Verfahren, der Prozess

Perlhuhn → Seite 118

Indienfahrer wohl: (Seemann auf einem) Handelsschiff, das zwischen Europa und Indien verkehrt

Pips »(umgangssprachlich) krankhafter Belag auf der Zunge von Vögeln: Beispiel: das Huhn hat den Pips« (DWDS)

nudeln → Seite 118

versteh's nicht weiß nicht, wie

Jungfer → Seite 118

Euch zu bedienen wissen es Euch schon recht machen

Klägere altertümelnde Variante von ›Klägerin‹

Ich sitz im Namen der Justiz, Frau Marthe,
Und die Justiz muss wissen, wer Ihr seid.
Licht *halblaut.* Lasst doch die sonderbare Frag –
Frau Marthe. Ihr guckt
Mir alle Sonntag in die Fenster ja,
Wenn Ihr aufs Vorwerk geht!
Walter. Kennt Ihr die Frau?
Adam. Sie wohnt hier um die Ecke, Euer Gnaden,
Wenn man den Fußsteig durch die Hecken geht;
Witw' eines Kastellans, Hebamme jetzt,
Sonst eine ehrliche Frau, von gutem Rufe.
Walter. Wenn Ihr so unterrichtet seid, Herr Richter,
So sind dergleichen Fragen überflüssig.
Setzt ihren Namen in das Protokoll,
Und schreibt dabei: dem Amte wohlbekannt.
Adam. Auch das. Ihr seid nicht für Formalitäten.
Tut so, wie Seiner Gnaden anbefohlen.
Walter. Fragt nach dem Gegenstand der Klage jetzt.
Adam. Jetzt soll ich –?
Walter. Ja, den Gegenstand ermitteln!
Adam. Das ist gleichfalls ein Krug, verzeiht.
Walter. Wie? Gleichfalls!
Adam. Ein Krug. Ein bloßer Krug. Setzt einen Krug,
Und schreibt dabei: dem Amte wohlbekannt.
Licht. Auf meine hingeworfene Vermutung
Wollt Ihr, Herr Richter –?
Adam. Mein Seel, wenn ich's Euch sage,
So schreibt Ihr's hin. Ist's nicht ein Krug, Frau Marthe?
Frau Marthe. Ja, hier der Krug –
Adam. Da habt Ihr's.
Frau Marthe. Der zerbrochne –
Adam. Pedantische Bedenklichkeit.
Licht. Ich bitt Euch –

Fußsteig Fußweg

Kastellans Ein Kastellan ist ein »Verwalter, Aufsichtsbeamter von Schlössern und anderen öffentlichen Gebäuden« (Duden).

Sonst eine ehrliche Im Übrigen eine ehrbare

unterrichtet seid genau Bescheid wisst

Setzt Notiert; nehmt … auf

Setzt ihren Namen … Tut so … Beide Aufforderungen richten sich an Licht.

anbefohlen es gesagt haben

Pedantische Bedenklichkeit Übertriebene Genauigkeit! Kleinliche Haarspalterei!

Adam. Und wer zerbrach den Krug? Gewiss der Schlingel – ?
Frau Marthe. Ja, er, der Schlingel dort –
Adam *für sich.* Mehr brauch ich nicht.
Ruprecht.
Das ist nicht wahr, Herr Richter.
Adam *für sich.* Auf, aufgelebt, du alter Adam!
Ruprecht. Das lügt sie in den Hals hinein –
Adam. Schweig, Maulaffe!
Du steckst den Hals noch früh genug ins Eisen.
– Setzt einen Krug, Herr Schreiber, wie gesagt,
Zusamt dem Namen des, der ihn zerschlagen.
Jetzt wird die Sache gleich ermittelt sein.
Walter. Herr Richter! Ei! Welch ein gewaltsames Verfahren.
Adam. Wieso?
Licht. Wollt Ihr nicht förmlich – ?
Adam. Nein! sag ich;
Ihr Gnaden lieben Förmlichkeiten nicht.
Walter. Wenn Ihr die Instruktion, Herr Richter Adam,
Nicht des Prozesses einzuleiten wisst,
Ist hier der Ort jetzt nicht, es Euch zu lehren.
Wenn Ihr Recht anders nicht, als so, könnt geben,
So tretet ab: Vielleicht kann's Euer Schreiber.
Adam. Erlaubt! Ich gab's, wie's hier in Huisum üblich;
Eur Gnaden haben's also mir befohlen.
Walter. Ich hätt – ?
Adam. Auf meine Ehre!
Walter. Ich befahl Euch,
Recht hier nach den Gesetzen zu erteilen;
Und hier in Huisum glaubt' ich die Gesetze
Wie anderswo in den vereinten Staaten.
Adam. Da muss submiss ich um Verzeihung bitten!
Wir haben hier, mit Euerer Erlaubnis,
Statuten, eigentümliche, in Huisum,

Auf, aufgelebt, du alter Adam! → Seite 118

Das lügt sie in den Hals hinein → Seite 119

Du steckst den Hals noch früh genug ins Eisen. (vgl. Vers 273)

Zusamt Mitsamt, zusammen mit

gewaltsames rabiates, überstürztes, allen Regeln Hohn sprechendes

Instruktion Anweisung, Dienstvorschrift

also genau so

in den vereinten Staaten (siehe Vers 292)

submiss ergebenst, unterwürfig, untertänig (vgl. lat. ›submissus‹: ›gesenkt‹; also gleichsam ›gesenkten Hauptes‹)

Statuten, eigentümliche besondere (auf unsere Bedürfnisse zugeschnittene) Leitlinien, Bestimmungen, Satzungen

Nicht aufgeschriebene, muss ich gestehn, doch durch
Bewährte Tradition uns überliefert.
Von dieser Form, getrau ich mir zu hoffen,
Bin ich noch heut kein Jota abgewichen.

kein Jota → Seite 119

Doch auch in Eurer andern Form bin ich,
Wie sie im Reich mag üblich sein, zu Hause.

im Reich → Seite 119

Verlangt Ihr den Beweis? Wohlan, befehlt!
Ich kann Recht so jetzt, jetzo so erteilen.

Walter. Ihr gebt mir schlechte Meinungen, Herr Richter.
Es sei. Ihr fangt von vorn die Sache an. –

Ihr gebt mir schlechte Meinungen Ihr vermittelt mir einen sehr ungünstigen Eindruck von Euch und Eurer Amtsführung

Es sei. Aber nun gut.

Adam. Auf Ehr! Gebt acht, Ihr sollt zufrieden sein.
– Frau Marthe Rull! Bringt Eure Klage vor.

Frau Marthe.
Ich klag, Ihr wisst's, hier wegen dieses Krugs;
Jedoch vergönnt, dass ich, bevor ich melde
Was diesem Krug geschehen, auch beschreibe
Was er vorher mir war.

vergönnt erlaubt

melde mitteile, näher erläutere

Adam. Das Reden ist an Euch.

Das Reden ist an Euch. Ihr habt das Wort. Fangt an.

Frau Marthe.
Seht ihr den Krug, ihr wertgeschätzten Herren?
Seht ihr den Krug?

Adam. O ja, wir sehen ihn.

Frau Marthe.
Nichts seht ihr, mit Verlaub, die Scherben seht ihr;
Der Krüge schönster ist entzweigeschlagen.
Hier grade auf dem Loch, wo jetzo nichts,
Sind die gesamten niederländischen Provinzen
Dem span'schen Philipp übergeben worden.
Hier im Ornat stand Kaiser Karl der Fünfte:
Von dem seht ihr nur noch die Beine stehn.
Hier kniete Philipp, und empfing die Krone:
Der liegt im Topf, bis auf den Hinterteil,
Und auch noch der hat einen Stoß empfangen.

mit Verlaub wenn Ihr gestattet; wenn es erlaubt ist (wie in V. 27 oder 619: ›Erlaubt‹)

Sind die gesamten niederländischen Provinzen → Seite 119

im Ornat (siehe Seite 26)

Dort wischten seine beiden Muhmen sich,
Der Franzen und der Ungarn Königinnen,
Gerührt die Augen aus; wenn man die eine
Die Hand noch mit dem Tuch empor sieht heben,
So ist's, als weinete sie über sich.
Hier im Gefolge stützt' sich Philibert,
Für den den Stoß der Kaiser aufgefangen,
Noch auf das Schwert; doch jetzo müsst' er fallen,
So gut wie Maximilian: der Schlingel!
Die Schwerter unten jetzt sind weggeschlagen.
Hier in der Mitte, mit der heilgen Mütze,
Sah man den Erzbischof von Arras stehn;
Den hat der Teufel ganz und gar geholt,
Sein Schatten nur fällt lang noch übers Pflaster.
Hier standen rings, im Grunde, Leibtrabanten,
Mit Hellebarden, dicht gedrängt, und Spießen,
Hier Häuser, seht, vom großen Markt zu Brüssel,
Hier guckt' noch ein Neugierger aus dem Fenster:
Doch was er jetzo sieht, das weiß ich nicht.

Adam.

Frau Marth! Erlasst uns das zerscherbte Paktum,
Wenn es zur Sache nicht gehört.
Uns geht das Loch – nichts die Provinzen an,
Die darauf übergeben worden sind.

Frau Marthe.

Erlaubt! Wie schön der Krug, gehört zur Sache! –
Den Krug erbeutete sich Childerich,
Der Kesselflicker, als Oranien
Briel mit den Wassergeusen überrumpelte.
Ihn hatt ein Spanier, gefüllt mit Wein,
Just an den Mund gesetzt, als Childerich
Den Spanier von hinten niederwarf,
Den Krug ergriff, ihn leert', und weiterging.

Erläuterungen zu dieser Seite → Seiten 120 bis 122

Adam. Ein würdger Wassergeuse.
Frau Marthe. Hierauf vererbte
Der Krug auf Fürchtegott, den Totengräber;
Der trank zu dreimal nur, der Nüchterne,
Und stets vermischt mit Wasser aus dem Krug.
Das erste Mal, als er im Sechzigsten
Ein junges Weib sich nahm; drei Jahre drauf,
Als sie noch glücklich ihn zum Vater machte;
Und als sie jetzt noch funfzehn Kinder zeugte,
Trank er zum dritten Male, als sie starb.
Adam. Gut. Das ist auch nicht übel.
Frau Marthe. Drauf fiel der Krug
An den Zachäus, Schneider in Tirlemont,
Der meinem selgen Mann, was ich euch jetzt
Berichten will, mit eignem Mund erzählt'.
Der warf, als die Franzosen plünderten,
Den Krug, samt allem Hausrat, aus dem Fenster,
Sprang selbst, und brach den Hals, der Ungeschickte,
Und dieser irdne Krug, der Krug von Ton,
Aufs Bein kam er zu stehen, und blieb ganz.
Adam.
Zur Sache, wenn's beliebt, Frau Marthe Rull! Zur Sache!
Frau Marthe.
Drauf in der Feuersbrunst von sechsundsechzig,
Da hatt ihn schon mein Mann, Gott hab ihn selig –
Adam. Zum Teufel! Weib! So seid Ihr noch nicht fertig?
Frau Marthe.
– Wenn ich nicht reden soll, Herr Richter Adam,
So bin ich unnütz hier, so will ich gehn,
Und ein Gericht mir suchen, das mich hört.
Walter.
Ihr sollt hier reden: doch von Dingen nicht,
Die Eurer Klage fremd. Wenn Ihr uns sagt,

vererbte vererbte sich, wurde weitervererbt
zu dreimal insgesamt drei Mal
im Sechzigsten im sechzigsten Lebensjahr
funfzehn seinerzeit verbreitete Variante von ›fünfzehn‹
zeugte gebar
Tirlemont → Seite 122
selgen seligen, verstorbenen
Feuersbrunst von sechsundsechzig → Seite 123
Gott hab ihn selig → Seite 124
Weib! → Seite 124
hört anhört
Eurer Klage fremd mit Eurer Klage nichts zu tun haben

Dass jener Krug Euch wert, so wissen wir
So viel, als wir zum Richten hier gebrauchen.

Frau Marthe. Wie viel ihr brauchen möget, hier zu richten,
Das weiß ich nicht, und untersuch es nicht;
Das aber weiß ich, dass ich, um zu klagen,
Muss vor euch sagen dürfen, über was.

Walter.
Gut denn. Zum Schluss jetzt. Was geschah dem Krug?
Was? – Was geschah dem Krug im Feuer
Von Anno sechsundsechzig? Wird man's hören?
Was ist dem Krug geschehn?

Frau Marthe. Was ihm geschehen?
Nichts ist dem Krug, ich bitt euch sehr, ihr Herren,
Nichts Anno sechsundsechzig ihm geschehen.
Ganz blieb der Krug, ganz in der Flammen Mitte,
Und aus des Hauses Asche zog ich ihn
Hervor, glasiert, am andern Morgen, glänzend,
Als käm er eben aus dem Töpferofen.

Walter. Nun gut. Nun kennen wir den Krug. Nun wissen
Wir alles, was dem Krug geschehn, was nicht.
Was gibt's jetzt weiter?

Frau Marthe. Nun diesen Krug jetzt seht – den Krug,
Zertrümmert einen Krug noch wert, den Krug
Für eines Fräuleins Mund, die Lippe selbst
Nicht der Frau Erbstatthalterin zu schlecht,
Den Krug, ihr hohen Herren Richter beide,
Den Krug hat jener Schlingel mir zerbrochen.

Adam. Wer?

Frau Marthe. Er, der Ruprecht dort.

Ruprecht. Das ist gelogen,
Herr Richter.

Adam. Schweig Er, bis man Ihn fragen wird.
Auch heut an Ihn noch wird die Reihe kommen.

wert sehr viel bedeutet

brauchen möget zu wissen benötigt, zu erfahren braucht

vor vorher

Von Anno Des Jahres

Wird man's hören? Wird man's noch zu hören bekommen?

Zertrümmert einen Krug noch wert wohl: auch in zertrümmertem Zustand noch so viel wert wie sonst nur ein unbeschädigter Krug

Für eines … schlecht → Seite 124

Fräulein → Seite 124

– Habt Ihr's im Protokoll bemerkt?
Licht. O ja.
Adam. Erzählt den Hergang, würdige Frau Marthe.
Frau Marthe. Es war Uhr eilfe gestern –
Adam. Wann, sagt Ihr?
Frau Marthe. Uhr eilf.
Adam. Am Morgen!
Frau Marthe. Nein, verzeiht, am Abend,
Und schon die Lamp im Bette wollt' ich löschen,
Als laute Männerstimmen, ein Tumult,
In meiner Tochter abgelegnen Kammer,
Als ob der Feind einbräche, mich erschreckt.
Geschwind die Trepp eil ich hinab, ich finde
Die Kammertür gewaltsam eingesprengt,
Schimpfreden schallen wütend mir entgegen,
Und da ich mir den Auftritt jetzt beleuchte,
Was find ich jetzt, Herr Richter, was jetzt find ich?
Den Krug find ich zerscherbt im Zimmer liegen,
In jedem Winkel liegt ein Stück,
Das Mädchen ringt die Händ, und er, der Flaps dort,
Der trotzt, wie toll, Euch in des Zimmers Mitte.
Adam. Ei, Wetter!
Frau Marthe. Was?
Adam. Sieh da, Frau Marthe!
Frau Marthe. Ja! –
Drauf ist's, als ob in so gerechtem Zorn,
Mir noch zehn Arme wüchsen, jeglichen
Fühl ich mir wie ein Geier ausgerüstet.
Ihn stell ich dort zu Rede, was er hier
In später Nacht zu suchen, mir die Krüge
Des Hauses tobend einzuschlagen habe:
Und er, zur Antwort gibt er mir, jetzt ratet?
Der Unverschämte! Der Halunke, der!

Uhr eilfe (siehe Vers 222)

eingesprengt eingedrückt, aufgebrochen

Und da ich mir den Auftritt jetzt beleuchte Und als ich mir mithilfe der mitgebrachten Lampe einen Überblick über die Szenerie (oder auch: die am lautstarken Streit beteiligten Personen) verschaffe

Der, trotzt, wie toll, Euch in des Zimmers Mitte Der steht mitten im Zimmer und gebärdet sich widerspenstig wie ein Verrückter (siehe auch Vers 171)

Wetter! kurz für: Alle Wetter! (als Ausruf des Erstaunens, der Verwunderung oder auch der Anerkennung)

zehn Arme … ausgerüstet → Seite 124

Aufs Rad will ich ihn sehen, oder mich
Nicht mehr geduldig auf den Rücken legen:
Er spricht, es hab ein anderer den Krug
Vom Sims gestürzt – ein anderer, ich bitt Euch,
Der vor ihm aus der Kammer nur entwichen;
– Und überhäuft mit Schimpf mir da das Mädchen.

Adam. O! faule Fische – Hierauf?

Frau Marthe. Auf dies Wort
Seh ich das Mädchen fragend an; die steht
Gleich einer Leiche da, ich sage: Eve! –
Sie setzt sich; ist's ein anderer gewesen,
Frag ich? Und Joseph und Marie, ruft sie,
Was denkt Ihr Mutter auch? – So sprich! Wer war's?
Wer sonst, sagt sie, – und wer auch konnt es anders?
Und schwört mir zu, dass er's gewesen ist.

Eve. Was schwor ich Euch? Was hab ich Euch geschworen?
Nichts schwor ich, nichts Euch –

Frau Marthe. Eve!

Eve. Nein! Dies lügt Ihr. –

Ruprecht. Da hört Ihr's.

Adam. Hund, jetzt, verfluchter, schweig,
Soll hier die Faust den Rachen dir noch stopfen!
Nachher ist Zeit für dich, nicht jetzt.

Frau Marthe.
Du hättest nicht –?

Eve. Nein, Mutter! Dies verfälscht Ihr.
Seht, leid tut's in der Tat mir tief zur Seele,
Dass ich es öffentlich erklären muss:
Doch nichts schwor ich, nichts, nichts hab ich geschworen.

Adam. Seid doch vernünftig, Kinder.

Licht. Das ist ja seltsam.

Frau Marthe. Du hättest mir, o Eve, nicht versichert –?
Nicht Joseph und Marie angerufen?

Aufs Rad → Seite 124

Sims (siehe Vers 427)

ich bitt Euch Floskel: was für ein lügnerischer Unsinn! das soll man glauben!

Schimpf Schmähworten

faule Fische → Seite 124

dies Wort diese Äußerung hin

Joseph und Marie Anrufung der Eltern von Jesus Christus als Ausruf der Bestürzung

konnt es anders konnt es anders sein

schwört mir zu schwört mir

Dies lügt Ihr Was Ihr da sagt, ist unwahr

zur Seele in der Seele

Eve. Beim Schwur nicht! Schwörend nicht! Seht dies jetzt schwör ich,
Und Joseph und Maria ruf ich an.
Adam. Ei, Leutchen! Ei, Frau Marthe! Was auch macht Sie?
Wie schüchtert Sie das gute Kind auch ein.
Wenn sich die Jungfer wird besonnen haben,
Erinnert ruhig dessen, was geschehen,
– Ich sage was geschehen ist, und was,
Spricht sie nicht, wie sie soll, geschehn noch kann:
Gebt acht, so sagt sie heut uns aus, wie gestern,
Gleichviel, ob sie's beschwören kann ob nicht.
Lasst Joseph und Maria aus dem Spiele.
Walter. Nicht doch, Herr Richter, nicht! Wer wollte den
Parteien so zweideutge Lehren geben.
Frau Marthe. Wenn sie ins Angesicht mir sagen kann,
Schamlos, die liederliche Dirne, die,
Dass es ein andrer, als der Ruprecht war,
So mag meintwegen sie – ich mag nicht sagen, was.
Ich aber, ich versichr' es Euch, Herr Richter,
Und kann ich gleich nicht, dass sie's schwor, behaupten,
Dass sie's gesagt hat gestern, das beschwör ich,
Und Joseph und Maria ruf ich an.
Adam. Nun weiter will ja auch die Jungfer –
Walter. Herr Richter!
Adam.
Euer Gnaden? – Was sagt er? Nicht, Herzens-Evchen?
Frau Marthe. Heraus damit! Hast du's mir nicht gesagt?
Hast du's mir gestern nicht, mir nicht gesagt?
Eve. Wer leugnet Euch, dass ich's gesagt –
Adam. Da habt ihr's.
Ruprecht. Die Metze, die!
Adam. Schreibt auf.
Veit. Pfui, schäm Sie sich.

auch ein denn auch ein

Gleichviel Ganz gleich; unabhängig davon

zweideutge verdächtige, verfängliche (siehe auch Vers 542); »harmlos klingend[e], aber von jedermann als unanständig, schlüpfrig, anstößig zu verstehen[de]« (Duden)

Dirne → Seite 124

gleich nicht auch nicht

Wer leugnet Euch Hab ich Euch gegenüber denn bestritten

Walter. Von Eurer Aufführung, Herr Richter Adam,
Weiß ich nicht, was ich denken soll. Wenn Ihr selbst
Den Krug zerschlagen hättet, könntet Ihr
Von Euch ab den Verdacht nicht eifriger
Hinwälzen auf den jungen Mann, als jetzt. –
Ihr setzt nicht mehr ins Protokoll, Herr Schreiber,
Als nur der Jungfer Eingeständnis, hoff ich,
Vom gestrigen Geständnis, nicht vom Fakto.
– Ist's an die Jungfer jetzt schon auszusagen?
Adam. Mein Seel, wenn's ihre Reihe noch nicht ist,
In solchen Dingen irrt der Mensch, Eur Gnaden.
Wen hätt ich fragen sollen jetzt? Beklagten?
Auf Ehr! Ich nehme gute Lehre an.
Walter. Wie unbefangen! – Ja, fragt den Beklagten.
Fragt, macht ein Ende, fragt, ich bitt Euch sehr:
Dies ist die letzte Sache, die Ihr führt.
Adam. Die letzte! Was! Ei freilich! Den Beklagten!
Wohin auch, alter Richter, dachtest du?
Verflucht, das pipsge Perlhuhn mir! Dass es
Krepiert wär an der Pest in Indien!
Stets liegt der Kloß von Nudeln mir im Sinn.
Walter.
Was liegt? Was für ein Kloß liegt Euch –?
Adam. Der Nudelkloß,
Verzeiht, den ich dem Huhne geben soll.
Schluckt mir das Aas die Pille nicht herunter,
Mein Seel, so weiß ich nicht, wie's werden wird.
Walter. Tut Eure Schuldigkeit, sag ich, zum Henker!
Adam. Beklagter trete vor.
Ruprecht. Hier, Herr Dorfrichter.
Ruprecht, Veits des Kossäten Sohn, aus Huisum.
Adam. Vernahm Er dort, was vor Gericht soeben
Frau Marthe gegen Ihn hat angebracht?

Eurer Aufführung Eurem Verhalten

nicht vom Fakto nicht von der Tatsache an sich

an die an der

Beklagten? den Beklagten?

gute Lehre guten Rat

Wie unbefangen! → Seite 125

die letzte Sache der letzte Prozess

pipsge → Seite 125

Dass es Dass es doch

Pest → Seite 125

Schluckt … die Pille nicht herunter → Seite 125

das Aas → Seite 125

Schuldigkeit Pflicht

Veits des Kossäten Sohn → Seite 125

dort → Seite 125

hat angebracht vorgebracht hat

Ruprecht. Ja, Herr Dorfrichter, das hab ich.
Adam. Getraut Er sich
Etwas dagegen aufzubringen, was?
Bekennt Er, oder unterfängt Er sich,
Hier wie ein gottvergessner Mensch zu leugnen?
Ruprecht. Was ich dagegen aufzubringen habe,
Herr Richter? Ei! Mit Euerer Erlaubnis,
Dass sie kein wahres Wort gesprochen hat.
Adam. So? Und das denkt Er zu beweisen?
Ruprecht. O ja.
Adam. Die würdige Frau Marthe, die.
Beruhige Sie sich. Es wird sich finden.
Walter. Was geht Ihn die Frau Marthe an, Herr Richter?
Adam. Was mir –? Bei Gott! Soll ich als Christ –?
Walter. Bericht
Er, was Er für sich anzuführen hat. –
Herr Schreiber, wisst Ihr den Prozess zu führen?
Adam. Ach, was!
Licht. Ob ich – ei nun, wenn Euer Gnaden –
Adam. Was glotzt Er da? Was hat Er aufzubringen?
Steht nicht der Esel, wie ein Ochse, da?
Was hat Er aufzubringen?
Ruprecht. Was ich aufzubringen?
Walter. Er ja, Er soll den Hergang jetzt erzählen.
Ruprecht.
Mein Seel, wenn man zu Wort mich kommen ließe.
Walter. 's ist in der Tat, Herr Richter, nicht zu dulden.
Ruprecht. Glock zehn Uhr mogt' es etwa sein zu Nacht, –
Und warm, just diese Nacht des Januars
Wie Mai, als ich zum Vater sage: Vater!
Ich will ein bissel noch zur Eve gehn.
Denn heuren wollt' ich sie, das müsst ihr wissen,
Ein rüstig Mädel ist's, ich hab's beim Ernten

aufzubringen vorzubringen, zu erwidern

unterfängt Er sich wagt Er, ist Er so dreist

gottvergessner → Seite 125

Mit Euerer Erlaubnis (siehe Vers 646)

Die würdige Frau Marthe, die. → Seite 125

Es wird sich finden. → Seite 125

Soll ich als Christ – ? → Seite 125

wisst Ihr wärt Ihr in der Lage

nicht zu dulden → Seite 125

mogt' es etwa sein zu Nacht → Seite 125

just gerade (siehe Vers 60)

heuren → Seite 125

rüstig → Seite 125

Gesehn, wo alles von der Faust ihr ging,
Und ihr das Heu man flog, als wie gemaust.
Da sagt' ich: willst du? Und sie sagte: ach!
Was du da gakelst. Und nachher sagt' sie, ja.

Adam. Bleib Er bei seiner Sache. Gakeln! Was!
Ich sagte, willst du? Und sie sagte, ja.

Ruprecht.
Ja, meiner Treu, Herr Richter.

Walter. Weiter! Weiter!

Ruprecht. Nun –
Da sagt' ich: Vater, hört Er? Lass Er mich.
Wir schwatzen noch am Fenster was zusammen.
Na, sagt er, lauf; bleibst du auch draußen, sagt er?
Ja, meiner Seel, sag ich, das ist geschworen.
Na, sagt er, lauf, um eilfe bist du hier.

Adam. Na, so sag du, und gakle, und kein Ende.
Na, hat er bald sich ausgesagt?

Ruprecht. Na, sag ich,
Das ist ein Wort, und setz die Mütze auf,
Und geh; und übern Steig will ich, und muss
Durchs Dorf zurückgehn, weil der Bach geschwollen.
Ei, alle Wetter, denk ich, Ruprecht, Schlag!
Nun ist die Gartentür bei Marthens zu:
Denn bis um zehn lässt's Mädel sie nur offen,
Wenn ich um zehn nicht da bin, komm ich nicht.

Adam. Die liederliche Wirtschaft, die.

Walter. Drauf weiter?

Ruprecht. Drauf – wie ich übern Lindengang mich näh're,
Bei Marthens, wo die Reihen dicht gewölbt,
Und dunkel, wie der Dom zu Utrecht, sind,
Hör ich die Gartentüre fernher knarren.
Sieh da! Da ist die Eve noch! sag ich,
Und schicke freudig euch, von wo die Ohren

von der Faust leicht von der Hand

man flog, als wie gemaust → Seite 125

gakelst → Seite 125

meiner Treu (siehe Vers 227)

was ein bisschen

Das ist ein Wort Einverstanden, (geht) in Ordnung

Steig → Seite 125

geschwollen Hochwasser führt

Schlag! Fluch: Donnerschlag!

komm ich nicht komm ich nicht mehr hinein

Die liederliche Wirtschaft, die. → Seite 126

übern Lindengang wohl: über die Lindenallee

wie der Dom zu Utrecht → Seite 126

fernher in der Ferne

Mir Kundschaft brachten, meine Augen nach –
– Und schelte sie, da sie mir wiederkommen,
Für blind, und schicke auf der Stelle sie
Zum zweiten Mal, sich besser umzusehen,
Und schimpfe sie nichtswürdige Verleumder,
Aufhetzer, niederträchtge Ohrenbläser,
Und schicke sie zum dritten Mal, und denke,
Sie werden, weil sie ihre Pflicht getan,
Unwillig los sich aus dem Kopf mir reißen,
Und sich in einen andern Dienst begeben:
Die Eve ist's, am Latz erkenn ich sie,
Und einer ist's noch obenein.
Adam. So? Einer noch? Und wer, Er Klugschwätzer?
Ruprecht. Wer? Ja, mein Seel, da fragt Ihr mich –
Adam. Nun also!
Und nicht gefangen, denk ich, nicht gehangen.
Walter. Fort! Weiter in der Rede! Lasst ihn doch!
Was unterbrecht Ihr ihn, Herr Dorfrichter?
Ruprecht. Ich kann das Abendmal darauf nicht nehmen,
Stockfinster war's, und alle Katzen grau.
Doch müsst Ihr wissen, dass der Flickschuster,
Der Lebrecht, den man kürzlich losgesprochen,
Dem Mädel längst mir auf die Fährte ging.
Ich sagte vorgen Herbst schon: Eve, höre,
Der Schuft schleicht mir ums Haus, das mag ich nicht;
Sag ihm, dass du kein Braten bist für ihn,
Mein Seel, sonst werf ich ihn vom Hof herunter.
Die spricht: Ich glaub, du schierst mich, sagt ihm was,
Das ist nicht hin, nicht her, nicht Fisch, nicht Fleisch:
Drauf geh ich hin, und werf den Schlingel herunter.
Adam. So? Lebrecht heißt der Kerl?
Ruprecht. Ja, Lebrecht.
Adam. Gut.

Kundschaft Nachricht

schelte sie … / Für blind → Seite 126

nichtswürdige → Seite 126

Aufhetzer → Seite 126

Ohrenbläser → Seite 126

weil sie ihre Pflicht getan → Seite 126

Latz → Seite 126

einer ist's noch obenein → Seite 126

Und nicht gefangen, denk ich, nicht gehangen. → Seite 126

Ich kann das Abendmahl darauf nicht nehmen → Seite 126

alle Katzen grau → Seite 126

Flickschuster → Seite 127

losgesprochen → Seite 127

längst mir auf die Fährte ging → Seite 127

du schierst mich → Seite 127

Das ist ein Nam. Es wird sich alles finden.
– Habt Ihr's bemerkt im Protokoll, Herr Schreiber?
Licht. O ja, und alles andere, Herr Richter.
Adam. Sprich weiter, Ruprecht, jetzt, mein Sohn.
Ruprecht. Nun schießt,
Da ich Glock eilf das Pärchen hier begegne,
– Glock zehn Uhr zog ich immer ab – das Blatt mir.
Ich denke, halt, jetzt ist's noch Zeit, o Ruprecht,
Noch wachsen dir die Hirschgeweihe nicht: –
Hier musst du sorgsam dir die Stirn befühlen,
Ob dir von fern hornartig etwas keimt.
Und drücke sacht mich durch die Gartenpforte,
Und berg in einen Strauch von Taxus mich:
Und hör Euch ein Gefispre hier, ein Scherzen,
Ein Zerren hin, Herr Richter, Zerren her,
Mein Seel, ich denk, ich soll vor Lust –
Eve. Du Böswicht!
Was das, o schändlich ist von dir!
Frau Marthe. Halunke!
Dir weis ich noch einmal, wenn wir allein sind,
Die Zähne! Wart! Du weißt noch nicht, wo mir
Die Haare wachsen! Du sollst's erfahren!
Ruprecht. Ein Viertelstündchen dauert's so, ich denke,
Was wird's doch werden, ist doch heut nicht Hochzeit?
Und eh ich den Gedanken ausgedacht,
Husch! sind sie beid ins Haus schon, vor dem Pastor.
Eve. Geht, Mutter, mag es werden, wie es will –
Adam. Schweig du mir dort, rat ich, das Donnerwetter
Schlägt über dich ein, unberufne Schwätzerin!
Wart, bis ich auf zur Red dich rufen werde.
Walter. Sehr sonderbar, bei Gott!
Ruprecht. Jetzt hebt, Herr Richter Adam,
Jetzt hebt sich's, wie ein Blutsturz, mir. Luft!

bemerkt vermerkt

Nun schießt … das Blatt mir. → Seite 127

Da ich … das Pärchen hier begegne → Seite 127

die Hirschgeweihe → Seite 127

Taxus → Seite 127

Gefispre → Seite 127

ich soll vor Lust – → Seite 127

Dir weis ich … / Die Zähne → Seite 127

wo mir / Die Haare wachsen → Seite 127

doch werden denn werden

ausgedacht → Seite 127

vor dem Pastor → Seite 127

unberufne unaufgeforderte

Jetzt hebt sich's → Seite 127

Blutsturz → Seite 127

Da mir der Knopf am Brustlatz springt: Luft jetzt!
Und reiße mir den Latz auf: Luft jetzt sag ich!
Und geh, und drück, und tret und donnere,
Da ich der Dirne Tür, verriegelt finde,
Gestemmt, mit Macht, auf einen Tritt, sie ein.
Adam. Blitzjunge, du!
Ruprecht. Just da sie auf jetzt rasselt,
Stürzt dort der Krug vom Sims ins Zimmer hin,
Und husch! springt einer aus dem Fenster Euch:
Ich seh die Schöße noch vom Rocke wehn.
Adam. War das der Leberecht?
Ruprecht. Wer sonst, Herr Richter?
Das Mädchen steht, die werf ich übern Haufen,
Zum Fenster eil ich hin, und find den Kerl
Noch in den Pfählen hangen, am Spalier,
Wo sich das Weinlaub aufrankt bis zum Dach.
Und da die Klinke in der Hand mir blieb,
Als ich die Tür eindonnerte, so reiß ich
Jetzt mit dem Stahl eins pfundschwer übern Dez ihm:
Den just, Herr Richter, konnt ich noch erreichen.
Adam. War's eine Klinke?
Ruprecht. Was?
Adam. Ob's –
Ruprecht. Ja, die Türklinke.
Adam. Darum.
Licht. Ihr glaubtet wohl, es war ein Degen?
Adam. Ein Degen? Ich – wieso?
Ruprecht. Ein Degen!
Licht. Je nun!
Man kann sich wohl verhören. Eine Klinke
Hat sehr viel Ähnlichkeit mit einem Degen.
Adam. Ich glaub –!
Licht. Bei meiner Treu! Der Stiel, Herr Richter?

Brustlatz → Seite 127

Dirne (siehe Vers 807)

Blitzjunge »(veraltet, scherzhaft) sehr tüchtiger Junge« (DWDS)

Schöße … vom Rocke Ein Rockschoß ist das in der Mitte geteilte untere Stück an der Hinterseite eines Herrenrocks (wie beim heute noch zu festlichen Gelegenheiten getragenen Frack).

hangen veraltet bzw. süddeutsch für: hängen

Spalier »meist gitterartiges Gestell aus Holzlatten oder Draht, an dem Obstbäume, Wein o. Ä. gezogen werden« (Duden)

Dez (niederdeutsch, salopp) Kopf, Rübe (eventuell von frz. ›tête‹: ›Kopf‹)

just gerade so (siehe Vers 60)

Bei meiner Treu! (siehe Vers 227)

Adam. Der Stiel!
Ruprecht. Der Stiel! Der war's nun aber nicht.
Der Klinke umgekehrtes Ende war's.
Adam. Das umgekehrte Ende war's der Klinke!
Licht. So! So!
Ruprecht. Doch auf dem Griffe lag ein Klumpen
Blei, wie ein Degengriff, das muss ich sagen.
Adam. Ja, wie ein Griff.
Licht. Gut. Wie ein Degengriff.
Doch irgendeine tücksche Waffe musst' es
Gewesen sein. Das wusst ich wohl.
Walter. Zur Sache stets, ihr Herren, doch! Zur Sache!
Adam. Nichts als Allotrien, Herr Schreiber! – Er, weiter!
Ruprecht.
Jetzt stürzt der Kerl, und ich schon will mich wenden,
Als ich's im Dunkeln auf sich rappeln sehe.
Ich denke, lebst du noch? und steig aufs Fenster
Und will dem Kerl das Gehen unten legen:
Als jetzt, ihr Herrn, da ich zum Sprung just aushol,
Mir eine Handvoll grobgekörnten Sandes –
– Und Kerl und Nacht und Welt und Fensterbrett,
Worauf ich steh, denk ich nicht, straf mich Gott,
Das alles fällt in einen Sack zusammen –
Wie Hagel, stiebend, in die Augen fliegt.
Adam. Verflucht! Sieh da! Wer tat das?
Ruprecht. Wer? Der Lebrecht.
Adam. Halunke!
Ruprecht. Meiner Treu! Wenn er's gewesen.
Adam. Wer sonst!
Ruprecht. Als stürzte mich ein Schloßenregen
Von eines Bergs zehn Klaftern hohen Abhang,
So schlag ich jetzt vom Fenster Euch ins Zimmer:
Ich denk ich schmettere den Boden ein.

Allotrien Unfug, Possen, dummes Zeug

wenden abwenden, zurück ins Zimmer wenden

legen unmöglich machen

Das alles fällt in einen Sack zusammen (Variation des bildhaften Ausdrucks ›wie ein leerer Sack in sich zusammenfallen‹)

stiebend »(wie Staub) in Teilchen auseinanderwirbeln[d]« (Duden)

Schloßenregen Regen von Hagelkörnern

Klaftern Ein Klafter ist »ein Längenmaß, so lang, als eine Person mit beiden ausgespannten Armen greifen kann« (Adelung, Grammatisch-kritisches Wörterbuch).

Nun brech ich mir den Hals doch nicht, auch nicht
Das Kreuz mir, Hüften, oder sonst, inzwischen
Konnt ich des Kerls doch nicht mehr habhaft werden,
Und sitze auf, und wische mir die Augen.
Die kommt, und ach, Herr Gott! ruft sie, und Ruprecht!
Was ist dir auch? Mein Seel, ich hob den Fuß,
Gut war's, dass ich nicht sah, wohin ich stieß.

Adam. Kam das vom Sande noch?

Ruprecht. Vom Sandwurf, ja.

Adam. Verdammt! Der traf!

Ruprecht. Da ich jetzt aufersteh
Was sollt' ich auch die Fäuste hier mir schänden?
So schimpf ich sie, und sage liederliche Metze,
Und denke, das ist gut genug für sie.
Doch Tränen, seht, ersticken mir die Sprache.
Denn da Frau Marthe jetzt ins Zimmer tritt,
Die Lampe hebt, und ich das Mädchen dort
Jetzt schlotternd, zum Erbarmen vor mir sehe,
Sie, die so herzhaft sonst wohl um sich sah,
So sag ich zu mir, blind ist auch nicht übel.
Ich hätte meine Augen hingegeben,
Knippkügelchen, wer will, damit zu spielen.

Eve. Er ist nicht wert, der Böswicht –

Adam. Sie soll schweigen.

Ruprecht. Das Weitre wisst ihr.

Adam. Wie, das Weitere?

Ruprecht. Nun ja, Frau Marthe kam, und geiferte,
Und Ralf, der Nachbar, kam, und Hinz, der Nachbar,
Und Muhme Sus' und Muhme Liese kamen,
Und Knecht und Mägd und Hund' und Katzen kamen,
's war ein Spektakel, und Frau Marthe fragte
Die Jungfer dort, wer ihr den Krug zerschlagen,
Und die, die sprach, ihr wisst's, dass ich's gewesen.

inzwischen nun (siehe auch Vers 112)

des Kerls doch … habhaft werden den Kerl ja doch … erwischen

Was ist dir auch? Was hast du denn? Ist dir was passiert?

aufersteh wieder auf die Beine komme

die Fäuste … schänden Ruprecht bringt zum Ausdruck, Eve sei es nicht einmal wert, von ihm geschlagen zu werden.

Metze (siehe Vers 444)

herzhaft tapfer, furchtlos

Knippkügelchen Murmeln (von ›knippen‹: ›wegschnellen‹)

Mein Seel, sie hat so Unrecht nicht, ihr Herren.
Den Krug, den sie zu Wasser trug, zerschlug ich,
Und der Flickschuster hat im Kopf ein Loch. –
Adam. Frau Marthe! Was entgegnet Ihr der Rede?
Sagt an!
Frau Marthe. Was ich der Red entgegene?
Dass sie, Herr Richter, wie der Marder einbricht,
Und Wahrheit wie ein gakelnd Huhn erwürgt.
Was Recht liebt, sollte zu den Keulen greifen,
Um dieses Ungetüm der Nacht zu tilgen.
Adam. Da wird Sie den Beweis uns führen müssen.
Frau Marthe.
O ja, sehr gern. Hier ist mein Zeuge. – Rede!
Adam. Die Tochter? Nein, Frau Marthe.
Walter. Nein? Warum nicht?
Adam. Als Zeugin, gnädger Herr? Steht im Gesetzbuch
Nicht titulo, ist's quarto? oder quinto?
Wenn Krüge oder sonst, was weiß ich?
Von jungen Bengeln sind zerschlagen worden,
So zeugen Töchter ihren Müttern nicht?
Walter. In Eurem Kopf liegt Wissenschaft und Irrtum
Geknetet, innig, wie ein Teig, zusammen;
Mit jedem Schnitte gebt Ihr mir von beidem.
Die Jungfer zeugt noch nicht, sie deklariert jetzt;
Ob, und für wen, sie zeugen will und kann,
Wird erst aus der Erklärung sich ergeben.
Adam. Ja, deklarieren. Gut. Titulo sexto.
Doch was sie sagt, das glaubt man nicht.
Walter. Tritt vor, mein junges Kind.
Adam. He! Lies' – ! – Erlaubt!
Die Zunge wird sehr trocken mir – Margrethe!

den sie zu Wasser trug → Seite 128

Sagt an! Sprecht!

gakelnd gackerndes (siehe auch Vers 880)

zu tilgen zu vernichten, zu töten (›von der Erdoberfläche zu tilgen‹)

titulo … quarto? oder quinto? (lat.) im vierten oder fünften Paragraphen?

zeugen Töchter ihren Müttern nicht können Töchter nicht als Zeuginnen für ihre Mütter auftreten

Schnitte Anschnitt (wie beim Brotschneiden)

deklariert gibt eine Erklärung ab

Titulo sexto (lat.) im sechsten Paragraphen

Erlaubt! hier: Erlaubt, dass ich mich kurz an die Magd wende (siehe auch Vers 646)

Achter Auftritt

Eine Magd *tritt auf.* **Die Vorigen.**

Adam.
Ein Glas mit Wasser! –
Die Magd. Gleich!
Adam. Kann ich Euch gleichfalls –!
Walter. Ich danke.
Adam. Franz? oder Mosler? Was Ihr wollt.
Walter verneigt sich; die Magd bringt Wasser und entfernt sich.

Franz? oder Mosler? Wein aus Frankreich? Oder von der Mosel (aus dem deutschen Weinanbaugebiet im Moseltal bei Koblenz)?

Walter verneigt sich Geste, die höfliche Ablehnung, aber auch stummen Dank bedeuten kann

Neunter Auftritt

Walter. Adam. Frau Marthe *u. s. w. ohne die Magd.*

freimütig offen

Vergleich »Einigung in einem Streitfall durch gegenseitiges Nachgeben der streitenden Parteien« (Duden)

entworren ausreichend untersucht und aufgeklärt

Adam. – Wenn ich freimütig reden darf, Ihr Gnaden,
Die Sache eignet gut sich zum Vergleich.
Walter.
Sich zum Vergleich? Das ist nicht klar, Herr Richter.
Vernünftge Leute können sich vergleichen;
Doch wie Ihr den Vergleich schon wollt bewirken,
Da noch durchaus die Sache nicht entworren,
Das hätt ich wohl von Euch zu hören Lust.
Wie denkt Ihr's anzustellen, sagt mir an?
Habt Ihr ein Urteil schon gefasst?
Adam. Mein Seel!
Wenn ich, da das Gesetz im Stich mich lässt,

Philosophie zu Hülfe nehmen soll,
So war's – der Leberecht –

Walter. Wer?

Adam. Oder Ruprecht –

Walter. Wer?

Adam. Oder Lebrecht, der den Krug zerschlug.

Walter. Wer also war's? Der Lebrecht oder Ruprecht?
Ihr greift, ich seh, mit Eurem Urteil ein,
Wie eine Hand in einen Sack voll Erbsen.

Adam. Erlaubt!

Walter. Schweigt, schweigt, ich bitt Euch.

Adam. Wie Ihr wollt.
Auf meine Ehr, mir wär's vollkommen recht,
Wenn sie es alle beid gewesen wären.

Walter. Fragt dort, so werdet Ihr's erfahren.

Adam. Sehr gern.
Doch wenn Ihr's herausbekommt, bin ich ein Schuft.
– Habt Ihr das Protokoll da in Bereitschaft?

Licht. Vollkommen.

Adam. Gut.

Licht. Und brech ein eignes Blatt mir,
Begierig, was darauf zu stehen kommt.

Adam. Ein eignes Blatt? Auch gut.

Walter. Sprich dort, mein Kind.

Adam.
Sprich, Evchen, hörst du, sprich jetzt, Jungfer Evchen!
Gib Gotte, hörst du, Herzchen, gib, mein Seel,
Ihm und der Welt, gib ihm was von der Wahrheit.
Denk, dass du hier vor Gottes Richtstuhl bist,
Und dass du deinen Richter nicht mit Leugnen,
Und Plappern, was zur Sache nicht gehört,
Betrüben musst. Ach, was! Du bist vernünftig.
Ein Richter immer, weißt du, ist ein Richter,

Hülfe Nebenform von: Hilfe

Ihr greift … in einen Sack voll Erbsen. → Seite 128

Erlaubt! hier: Ich bitte Euch! (Der Sprecher verwahrt sich gegen den für ihn beleidigenden Vergleich.)

wenn Ihr's herausbekommt, bin ich ein Schuft → Seite 128

brech ein eignes Blatt mir nehme für die Aussage der Zeugin (Eves) ein frisches Blatt

Sprich dort Stell dich dort hin und mach nun deine Aussage

gib ihm was von der Wahrheit → Seite 128

musst darfst, sollst

Und einer braucht ihn heut, und einer morgen.
Sagst du, dass es der Lebrecht war: nun gut;
Und sagst du, dass es Ruprecht war: auch gut!
Sprich so, sprich so, ich bin kein ehrlicher Kerl,
Es wird sich alles, wie du's wünschest finden.
Willst du mir hier von einem andern trätschen,
Und Dritten etwa, dumme Namen nennen:
Sieh, Kind, nimm dich in Acht, ich sag nichts weiter.
In Huisum, hol's der Henker, glaubt dir's keiner,
Und keiner, Evchen, in den Niederlanden,
Du weißt, die weißen Wände zeugen nicht,
Der auch wird zu verteidigen sich wissen:
Und deinen Ruprecht holt die Schwerenot!

Walter. Wenn Ihr doch Eure Reden lassen wolltet.
Geschwätz, gehauen nicht und nicht gestochen.

Adam. Verstehen's Euer Gnaden nicht?

Walter. Macht fort!
Ihr habt zulängst hier auf dem Stuhl gesprochen.

Adam. Auf Ehr! Ich habe nicht studiert, Eur Gnaden.
Bin ich euch Herrn aus Utrecht nicht verständlich,
Mit diesem Volk vielleicht verhält sich's anders:
Die Jungfer weiß, ich wette, was ich will.

Frau Marthe.
Was soll das? Dreist heraus jetzt mit der Sprache!

Eve. O liebste Mutter!

Frau Marthe. Du –! Ich rate dir!

Ruprecht.
Mein Seel, 's ist schwer, Frau Marthe, dreist zu sprechen,
Wenn das Gewissen an der Kehl uns sitzt.

Adam. Schweig Er jetzt, Nasweis, mucks Er nicht.

Frau Marthe. Wer war's?

Eve. O Jesus!

Frau Marthe. Maulaffe, der! Der niederträchtige!

ich bin kein ehrlicher Kerl, / Es wird sich alles, wie du's wünschest finden. → Seite 129

trätschen → Seite 129

die weißen Wände zeugen nicht → Seite 129

Der auch wird zu verteidigen sich wissen → Seite 130

deinen Ruprecht holt die Schwerenot! → Seite 130

gehauen nicht und nicht gestochen → Seite 130

zulängst hier auf dem Stuhl gesprochen → Seite 130

Dreist → Seite 131

an der Kehl uns sitzt uns die Kehle zuschnürt; bildlich für: uns bedrängt

mucks → Seite 131

O Jesus! Als ob sie eine Hure wäre.
War's der Herr Jesus?
Adam. Frau Marthe! Unvernunft!
Was das für –! Lass Sie die Jungfer doch gewähren!
Das Kind einschrecken – Hure – Schafsgesicht!
So wird's uns nichts. Sie wird sich schon besinnen.
Ruprecht. O ja, besinnen.
Adam. Flaps dort, schweig Er jetzt.
Ruprecht. Der Flickschuster wird ihr schon einfallen.
Adam. Der Satan! Ruft den Büttel! He! Hanfriede!
Ruprecht.
Nun, nun! Ich schweig, Herr Richter, lasst's nur sein.
Sie wird Euch schon auf meinen Namen kommen.
Frau Marthe.
Hör du, mach mir hier kein Spektakel, sag ich.
Hör, neunundvierzig bin ich alt geworden
In Ehren: funfzig möcht ich gern erleben.
Den dritten Februar ist mein Geburtstag;
Heut ist der erste. Mach es kurz. Wer war's?
Adam. Gut, meinethalben! Gut, Frau Marthe Rull!
Frau Marthe.
Der Vater sprach, als er verschied: Hör, Marthe,
Dem Mädel schaff mir einen wackern Mann;
Und wird sie eine liederliche Metze,
So gib dem Totengräber einen Groschen,
Und lass mich wieder auf den Rücken legen:
Mein Seel, ich glaub ich kehr im Grab mich um.
Adam. Nun, das ist auch nicht übel.
Frau Marthe. Willst du Vater
Und Mutter jetzt, mein Evchen, nach dem vierten
Gebot hoch ehren, gut, so sprich: In meine Kammer
Ließ ich den Schuster, oder einen Dritten,
Hörst du? Der Bräutgam aber war es nicht.

Was das für –! verkürzt für: Was das für Reden sind!

einschrecken einschüchtern

So wird's uns nichts. So wird das nichts. So kommen wir nicht zum Ziel.

funfzig (siehe Vers 694)

verschied starb

schaff mir besorge, verschaffe (nach meinem Willen, zu meiner Erleichterung)

wackern (siehe Vers 78)

Metze (siehe Vers 444)

einen Groschen eine kleine Münze, etwas Münzgeld

ich kehr im Grab mich um → Seite 131

nach dem vierten / Gebot → Seite 132

Ruprecht.
Sie jammert mich. Lasst doch den Krug, ich bitt Euch;
Ich will'n nach Utrecht tragen. Solch ein Krug –.
Ich wollt' ich hätt ihn nur entzweigeschlagen.
Eve. Unedelmütger, du! Pfui, schäme dich,
Dass du nicht sagst, gut, ich zerschlug den Krug!
Pfui, Ruprecht, pfui, o schäme dich, dass du
Mir nicht in meiner Tat vertrauen kannst.
Gab ich die Hand dir nicht, und sagte, ja,
Als du mich fragtest, Eve, willst du mich?
Meinst du, dass du den Flickschuster nicht wert bist?
Und hättest du durchs Schlüsselloch mich mit
Dem Lebrecht aus dem Kruge trinken sehen,
Du hättest denken sollen: Ev ist brav,
Es wird sich alles ihr zum Ruhme lösen,
Und ist's im Leben nicht, so ist es jenseits,
Und wenn wir auferstehn ist auch ein Tag.
Ruprecht. Mein Seel, das dauert mir zu lange, Evchen.
Was ich mit Händen greife, glaub ich gern.
Eve. Gesetzt, es wär der Leberecht gewesen,
Warum – des Todes will ich ewig sterben,
Hätt ich's dir Einzigem nicht gleich vertraut;
Jedoch warum vor Nachbarn, Knecht' und Mägden –
Gesetzt, ich hätte Grund, es zu verbergen,
Warum, o Ruprecht, sprich, warum nicht sollt' ich,
Auf dein Vertraun hin sagen, dass du's warst?
Warum nicht sollt' ich's? Warum sollt' ich's nicht?
Ruprecht. Ei, so zum Henker, sag's, es ist mir recht,
Wenn du die Fiedel dir ersparen kannst.
Eve. O du Abscheulicher! Du Undankbarer!
Wert, dass ich mir die Fiedel spare! Wert,
Dass ich mit einem Wort zu Ehren mich,
Und dich in ewiges Verderben bringe.

Sie jammert mich. Es tut mir in der Seele weh, sie so zu sehen.

nur hier als Verstärkung ohne eigentliche Bedeutung

Mir nicht in meiner Tat vertrauen kannst Kein Vertrauen darin hast, dass ich nichts Unrechtes getan habe

brav gut, vortrefflich

Es wird sich alles ihr zum Ruhme lösen Aus dieser fragwürdigen Situation wird sie ganz unschuldig hervorgehen

wenn wir auferstehn ist auch ein Tag → Seite 132

des Todes will ich ewig sterben → Seite 132

dir Einzigem dir, meinem einzig Geliebten

vertraut anvertraut

die Fiedel (siehe Vers 488)

Walter. Nun – ? Und dies einzge Wort – ? Halt uns nicht auf.
Der Ruprecht also war es nicht?
Eve. Nein gnädger Herr, weil er's denn selbst so will,
Um seinetwillen nur verschwieg ich es:
Den irdnen Krug zerschlug der Ruprecht nicht,
Wenn er's Euch selber leugnet, könnt Ihr's glauben.
Frau Marthe. Eve! Der Ruprecht nicht?
Eve. Nein, Mutter, nein!
Und wenn ich's gestern sagte, war's gelogen.
Frau Marthe. Hör, dir zerschlag ich alle Knochen!
Sie setzt den Krug nieder.
Eve. Tut, was Ihr wollt.
Walter *drohend.* Frau Marthe!
Adam. He! Der Büttel! –
Schmeißt sie heraus dort, die verwünschte Vettel!
Warum soll's Ruprecht just gewesen sein.
Hat Sie das Licht dabei gehalten, was?
Die Jungfer, denk ich, wird es wissen müssen:
Ich bin ein Schelm, wenn's nicht der Lebrecht war.
Frau Marthe.
War es der Lebrecht etwa? War's der Lebrecht?
Adam.
Sprich, Evchen, war's der Lebrecht nicht, mein Herzchen?
Eve. Er Unverschämter, Er! Er Niederträchtger!
Wie kann Er sagen, dass es Lebrecht –
Walter. Jungfer!
Was untersteht Sie sich? Ist das mir der
Respekt, den Sie dem Richter schuldig ist?
Eve. Ei, was! Der Richter dort! Wert, selbst vor dem
Gericht, ein armer Sünder, dazustehn –
– Er, der wohl besser weiß, wer es gewesen!
Sich zum Dorfrichter wendend:
Hat Er den Lebrecht in die Stadt nicht gestern

Vettel »(umgangssprachlich, abwertend) liederliches, altes Weib« (DWDS)

Hat Sie das Licht dabei gehalten → Seite 132

Schelm »ehrloser, unehrlicher Mensch, Betrüger, Dieb« (DWDS); eigentlich »ein abgezogenes totes Vieh […] ein Aas« (Adelung, Grammatisch-kritisches Wörterbuch)

ein armer Sünder als ein armer Sünder

Geschickt nach Utrecht, vor die Kommission,
Mit dem Attest, die die Rekruten aushebt?
Wie kann Er sagen, dass es Lebrecht war,
Wenn Er wohl weiß, dass der in Utrecht ist?
Adam. Nun wer denn sonst? Wenn's Lebrecht nicht,
zum Henker –
Nicht Ruprecht ist, nicht Lebrecht ist – – Was machst du?
Ruprecht. Mein Seel, Herr Richter Adam, lasst Euch sagen,
Hierin mag doch die Jungfer just nicht lügen,
Dem Lebrecht bin ich selbst begegnet gestern,
Als er nach Utrecht ging, früh war's Glock acht,
Und wenn er auf ein Fuhrwerk sich nicht lud,
Hat sich der Kerl, krummbeinig wie er ist,
Glock zehn Uhr nachts noch nicht zurückgehaspelt.
Es kann ein Dritter wohl gewesen sein.
Adam.
Ach, was! Krummbeinig! Schafsgesicht! Der Kerl
Geht seinen Stiefel, der, trotz einem.
Ich will von ungespaltnem Leibe sein,
Wenn nicht ein Schäferhund von mäßger Größe
Muss seinen Trab gehn, mit ihm fortzukommen.
Walter. Erzähl den Hergang uns.
Adam. Verzeihn Eur Gnaden!
Hierauf wird Euch die Jungfer schwerlich dienen.
Walter. Nicht dienen? Mir nicht dienen? Und warum nicht?
Adam. Ein twatsches Kind. Ihr seht's. Gut, aber twatsch.
Blutjung, gefirmelt kaum; das schämt sich noch,
Wenn's einen Bart von Weitem sieht. So'n Volk
Im Finstern leiden sie's, und wenn es Tag wird,
So leugnen sie's vor ihrem Richter ab.
Walter. Ihr seid sehr nachsichtsvoll, Herr Richter Adam,
Sehr mild, in allem, was die Jungfer angeht.
Adam. Die Wahrheit Euch zu sagen, Herr Gerichtsrat,

vor die Kommission, / … die die Rekruten aushebt → Seite 132
Mit dem Attest → Seite 132
auf ein Fuhrwerk sich nicht lud → Seite 132
zurückgehaspelt → Seite 132
Geht seinen Stiefel Schreitet durchaus kräftig aus
trotz einem (siehe Vers 137)
von ungespaltnem Leibe → Seite 132
mäßger mittlerer
Hierauf … dienen. → Seite 133
twatsch »(norddeutsch) einfältig« (DWDS)
gefirmelt kaum gerade erst gefirmt → Seite 133
leiden sie's sind sie bereit, es zu ertragen
Die Wahrheit Um die Wahrheit

Ihr Vater war ein guter Freund von mir.
Wollen Euer Gnaden heute huldreich sein,
So tun wir hier nicht mehr, als unsre Pflicht,
Und lassen seine Tochter gehn.
Walter. Ich spüre große Lust in mir, Herr Richter,
Der Sache völlig auf den Grund zu kommen. –
Sei dreist, mein Kind; sag, wer den Krug zerschlagen.
Vor niemand stehst du, in dem Augenblick,
Der einen Fehltritt nicht verzeihen könnte.
Eve. Mein lieber, würdiger und gnädger Herr,
Erlasst mir, Euch den Hergang zu erzählen.
Von dieser Weigrung denkt uneben nicht.
Es ist des Himmels wunderbare Fügung,
Die mir den Mund in dieser Sache schließt.
Dass Ruprecht jenen Krug nicht traf, will ich
Mit einem Eid, wenn Ihr's verlangt,
Auf heiligem Altar bekräftigen.
Jedoch die gestrige Begebenheit,
Mit jedem andern Zuge, ist mein eigen,
Und nicht das ganze Garnstück kann die Mutter,
Um eines einzgen Fadens willen, fordern,
Der, ihr gehörig, durchs Gewebe läuft.
Ich kann hier, wer den Krug zerschlug, nicht melden,
Geheimnisse, die nicht mein Eigentum,
Müsst' ich, dem Kruge völlig fremd, berühren.
Früh oder spät, will ich's ihr anvertrauen,
Doch hier das Tribunal ist nicht der Ort,
Wo sie das Recht hat, mich darnach zu fragen.
Adam. Nein, rechtens nicht. Auf meine Ehre nicht.
Die Jungfer weiß, wo unsre Zäume hängen.
Wenn sie den Eid hier vor Gericht will schwören,
So fällt der Mutter Klage weg:
Dagegen ist nichts weiter einzuwenden.

huldreich wohlwollend, gnädig

dreist (siehe Vers 1126)

denkt uneben nicht denkt nicht schlecht (argwöhnt dahinter nichts Schlechtes)

Es ist des Himmels wunderbare Fügung Es sind Gottes oft unerwartete Wege

Mit jedem andern Zuge … eigen → Seite 133

Garnstück → Seite 133

gehörig gehörend

melden kundtun, preisgeben

Früh oder spät Früher oder später

das Tribunal (lat.) der Gerichtshof

darnach damals gängige Variante von: danach

Die Jungfer weiß, wo unsre Zäume hängen. → Seite 133

Erläuterungen zu dieser Seite → Seiten 133 und 134

Walter. Was sagt zu der Erklärung Sie, Frau Marthe?

Frau Marthe.
Wenn ich gleich was Erkleckliches nicht aufbring,
Gestrenger Herr, so glaubt, ich bitt Euch sehr,
Dass mir der Schlag bloß jetzt die Zunge lähmte.
Beispiele gibt's, dass ein verlorner Mensch,
Um vor der Welt zu Ehren sich zu bringen,
Den Meineid vor dem Richterstuhle wagt; doch dass
Ein falscher Eid sich schwören kann, auf heilgem
Altar, um an den Pranger hinzukommen,
Das heut erfährt die Welt zum ersten Mal.
Wär, dass ein andrer, als der Ruprecht, sich
In ihre Kammer gestern schlich, gegründet,
Wär's überall nur möglich, gnädger Herr,
Versteht mich wohl, – so säumt' ich hier nicht länger.
Den Stuhl setzt' ich, zur ersten Einrichtung,
Ihr vor die Tür, und sagte, geh, mein Kind,
Die Welt ist weit, da zahlst du keine Miete,
Und lange Haare hast du auch geerbt,
Woran du dich, kommt Zeit, kommt Rat, kannst hängen.

Walter. Ruhig, ruhig, Frau Marthe.

Frau Marthe. Da ich jedoch
Hier den Beweis noch anders führen kann,
Als bloß durch sie, die diesen Dienst mir weigert,
Und überzeugt bin völlig, dass nur er
Mir, und kein anderer den Krug zerschlug,
So bringt die Lust, es kurzhin abzuschwören,
Mich noch auf einen schändlichen Verdacht.
Die Nacht von gestern birgt ein anderes
Verbrechen noch, als bloß die Krugverwüstung.
Ich muss Euch sagen, gnädger Herr, dass Ruprecht
Zur Konskription gehört, in wenig Tagen
Soll er den Eid zur Fahn in Utrecht schwören.

Erläuterungen zu dieser Seite → Seiten 134 und 135

Die jungen Landessöhne reißen aus.
Gesetzt, er hätte gestern Nacht gesagt:
Was meinst du, Evchen? Komm. Die Welt ist groß.
Zu Kist' und Kasten hast du ja die Schlüssel –
Und sie, sie hätt ein wenig sich gesperrt:
So hätte ohngefähr, da ich sie störte,
– Bei ihm aus Rach, aus Liebe noch bei ihr –
Der Rest, so wie geschehn, erfolgen können.

Ruprecht.
Das Rabenaas! Was das für Reden sind!
Zu Kist' und Kasten –

Walter. Still!

Eve. Er, austreten!

Walter. Zur Sache hier. Vom Krug ist hier die Rede. –
Beweis, Beweis, dass Ruprecht ihn zerbrach!

Frau Marthe. Gut, gnädger Herr. Erst will ich hier beweisen,
Dass Ruprecht mir den Krug zerschlug,
Und dann will ich im Hause untersuchen. –
Seht eine Zunge, die mir Zeugnis redet,
Bring ich für jedes Wort auf, das er sagte,
Und hätt in Reihen gleich sie aufgeführt,
Wenn ich von fern geahndet nur, dass diese
Die ihrige für mich nicht brauchen würde.
Doch wenn ihr Frau Brigitte jetzo ruft,
Die ihm die Muhm ist, so genügt mir die,
Weil die den Hauptpunkt just bestreiten wird.
Denn die, die hat Glock halb auf eilf im Garten,
Merkt wohl, bevor der Krug zertrümmert worden,
Wortwechselnd mit der Ev ihn schon getroffen;
Und wie die Fabel, die er aufgestellt,
Vom Kopf zu Fuß dadurch gespalten wird,
Durch diese einzge Zung, ihr hohen Richter,
Das überlass ich selbst euch einzusehn.

Ruprecht.
Wer hat mich – ?

Briggy Koseform von Brigitte (siehe Vers 1330)

Veit. Schwester Briggy?
Ruprecht. Mich mit Ev? Im Garten?
Frau Marthe.
Ihn mit der Ev, im Garten, Glock halb eilf,
Bevor er noch, wie er geschwätzt, um eilf
Das Zimmer überrumpelnd eingesprengt:
Im Wortgewechsel, kosend bald, bald zerrend,
Als wollt' er sie zu etwas überreden.

Wortgewechsel Wortwechsel

kosend bald, bald zerrend einmal sanft und zärtlich, dann wieder zudringlich auf sie einredend

Adam *für sich.* Verflucht! Der Teufel ist mir gut.
Walter. Schafft diese Frau herbei.
Ruprecht. Ihr Herrn, ich bitt euch:
Das ist kein wahres Wort, das ist nicht möglich.
Adam. O wart, Halunke! – He! Der Büttel! Hanfried! –
Denn auf der Flucht zerschlagen sich die Krüge –
– Herr Schreiber, geht, schafft Frau Brigitt herbei!
Veit. Hör, du verfluchter Schlingel, du, was machst du?
Dir brech ich alle Knochen noch.

ist mir gut meint es gut mit mir

scharwenzt' → Seite 135

Ruprecht. Weshalb auch?
Veit. Warum verschweigst du, dass du mit der Dirne
Glock halb auf eilf im Garten schon scharwenzt'?
Warum verschwiegst du's?
Ruprecht. Warum ich's verschwieg?
Gotts Schlag und Donner, weil's nicht wahr ist, Vater!
Wenn das die Muhme Briggy zeugt, so hängt mich.
Und bei den Beinen sie meinthalb dazu.

Gotts Schlag und Donner ungehaltener Ausruf im Sinne von: ›Himmelherrgottnochmal!‹

zeugt bezeugt, aussagt

Veit. Wenn aber sie's bezeugt – nimm dich in Acht!
Du und die saubre Jungfer Eve dort,
Wie ihr auch vor Gericht euch stellt, ihr steckt
Doch unter einer Decke noch. 's ist irgend
Ein schändliches Geheimnis noch, von dem
Sie weiß, und nur aus Schonung hier nichts sagt.

die saubre Jungfer Eve dort → Seite 135

stellt gebt, präsentiert, verstellt

Ruprecht. Geheimnis! Welches?
Veit. Warum hast du eingepackt?
He? Warum hast du gestern Abend eingepackt?
Ruprecht. Die Sachen?
Veit. Röcke, Hosen, ja, und Wäsche;
Ein Bündel, wie's ein Reisender just auf
Die Schultern wirft?
Ruprecht. Weil ich nach Utrecht soll!
Weil ich zum Regiment soll! Himmel-Donner – !
Glaubt Er, dass ich – ?
Veit. Nach Utrecht? Ja, nach Utrecht!
Du hast geeilt, nach Utrecht hinzukommen!
Vorgestern wusstest du noch nicht, ob du
Den fünften oder sechsten Tag wirst reisen.
Walter. Weiß Er zur Sache was zu melden, Vater?
Veit. – Gestrenger Herr, ich will noch nichts behaupten.
Ich war daheim, als sich der Krug zerschlug,
Und auch von einer andern Unternehmung
Hab ich, die Wahrheit zu gestehn, noch nichts,
Wenn ich jedweden Umstand wohl erwäge,
Das meinen Sohn verdächtig macht, bemerkt.
Von seiner Unschuld völlig überzeugt,
Kam ich hieher, nach abgemachtem Streit
Sein ehelich Verlöbnis aufzulösen,
Und ihm das Silberkettlein einzufordern,
Zusamt dem Schaupfennig, den er der Jungfer
Bei dem Verlöbnis vorgen Herbst verehrt.
Wenn jetzt von Flucht was, und Verräterei
An meinem grauen Haar zutage kommt,
So ist mir das so neu, ihr Herrn, als euch:
Doch dann der Teufel soll den Hals ihm brechen.
Walter.
Schafft Frau Brigitt herbei, Herr Richter Adam.

Bündel Kleiderbündel

zu melden zu sagen, beizutragen (siehe Vers 641)

hieher seinerzeit verbreitete Variante von: hierher

abgemachtem beendetem, geklärtem

Sein ehelich Verlöbnis Seine Verlobung

ihm … einzufordern für ihn … zurückzufordern

Zusamt (siehe Vers 609)

Schaupfennig Münze, die »nicht zum Ausgeben im Handel und Wandel, sondern zur Schau, d. i. zum Ansehen, zum Denkmal einer merkwürdigen Begebenheit geschlagen worden« ist (Adelung, Grammatisch-kritisches Wörterbuch)

verehrt geschenkt hat

Adam. – Wird Euer Gnaden diese Sache nicht
Ermüden? Sie zieht sich in die Länge.
Eur Gnaden haben meine Kassen noch,
Und die Registratur – Was ist die Glocke?

Licht.
Es schlug soeben halb.

Adam. Auf eilf!

Licht. Verzeiht, auf zwölfe.

Walter.
Gleichviel.

Gleichviel. Egal. Wie auch immer.

Adam. Ich glaub, die Zeit ist, oder Ihr verrückt.
Er sieht nach der Uhr.
Ich bin kein ehrlicher Mann. – Ja, was befehlt Ihr?

Walter. Ich bin der Meinung –

Adam. Abzuschließen? Gut – !

Abzuschließen? Zum Ende zu kommen?

Walter. Erlaubt! Ich bin der Meinung, fortzufahren.

Adam. Ihr seid der Meinung – Auch gut. Sonst würd ich
Auf Ehre, morgen Früh, Glock neun, die Sache,
Zu Euerer Zufriedenheit beendgen.

Walter. Ihr wisst um meinen Willen.

Adam. Wie Ihr befehlt.
Herr Schreiber, schickt die Büttel ab; sie sollen
Sogleich ins Amt die Frau Brigitte laden.

Walter.
Und nehmt Euch – Zeit, die mir viel wert, zu sparen –
Gefälligst selbst der Sach ein wenig an.
Licht ab.

Zeit, die mir viel wert, zu sparen damit nicht noch mehr kostbare Zeit verloren geht

Gefälligst (leicht ungehalten) Freundlicherweise; wenn Ihr so gut sein wollt

Zehnter Auftritt

Die **Vorigen** *ohne* **Licht.** *Späterhin* **einige Mägde.**

Adam *aufstehend.* Inzwischen könnte man, wenn's so gefällig,
Vom Sitze sich ein wenig lüften – ?
Walter. Hm! O ja.
Was ich sagen wollt' –
Adam. Erlaubt Ihr gleichfalls,
Dass die Partein, bis Frau Brigitt erscheint – ?
Walter. Was? Die Partein?
Adam. Ja, vor die Tür, wenn Ihr –
Walter *für sich.*
Verwünscht!
Laut. Herr Richter Adam, wisst Ihr was?
Gebt ein Glas Wein mir in der Zwischenzeit.
Adam. Von ganzem Herzen gern. He! Margarethe!
Ihr macht mich glücklich, gnädger Herr. – Margrethe!
Die Magd tritt auf.
Die Magd. Hier.
Adam. Was befehlt Ihr? – Tretet ab, ihr Leute.
Franz? – Auf den Vorsaal draußen. – Oder Rhein?
Walter. Von unserm Rhein.
Adam. Gut. – Bis ich rufe. Marsch!
Walter. Wohin?
Adam. Geh, vom Versiegelten, Margrethe. –
Was? Auf den Flur bloß draußen. – Hier. – Der Schlüssel.
Walter.
Hm! Bleibt.
Adam. Fort! Marsch, sag ich! – Geh, Margarethe!
Und Butter, frisch gestampft, Käs auch aus Limburg,
Und von der fetten pommerschen Räuchergans.

Franz? … Oder Rhein? Wein aus Frankreich? Oder vom Rhein? (also aus der ›klassischen deutschen Weingegend‹)

Versiegelten noch nicht Geöffneten (offenbar von einem der besten vorrätigen Weine)

Limburg die belgische Stadt Limbourg, die für ihren aromatischen Weichkäse (›den Limburger‹) bekannt ist

pommerschen Räuchergans wohl: nach pommerscher Art geräucherten Gans (Pommern war früher eine preußische Provinz; die Region gehört heute zu Polen.)

Walter. Halt! Einen Augenblick! Macht nicht so viel
Umständ ich bitt Euch sehr, Herr Richter.
Adam. Schert
Zum Teufel euch, sag ich! Tu, wie ich sagte.
Walter.
Schickt Ihr die Leute fort, Herr Richter?
Adam. Euer Gnaden?
Walter. Ob Ihr – ?
Adam. Sie treten ab, wenn Ihr erlaubt.
Bloß ab, bis Frau Brigitt erscheint.
Wie, oder soll's nicht etwa – ?
Walter. Hm! Wie Ihr wollt.
Doch ob's der Mühe sich verlohnen wird?
Meint Ihr, dass es so lange Zeit wird währen,
Bis man im Ort sie trifft?
Adam. 's ist heute Holztag,
Gestrenger Herr. Die Weiber größtenteils
Sind in den Fichten, Sträucher einzusammeln.
Es könnte leicht –
Ruprecht. Die Muhme ist zu Hause.
Walter. Zu Haus. Lasst sein.
Ruprecht. Die wird sogleich erscheinen.
Walter. Die wird uns gleich erscheinen. Schafft den Wein.
Adam *für sich.*
Verflucht!
Walter. Macht fort. Doch nichts zum Imbiss, bitt ich,
Als ein Stück trocknen Brodes nur, und Salz.
Adam *für sich.*
Zwei Augenblicke mit der Dirn allein –
Laut. Ach trocknes Brod! Was! Salz! Geht doch.
Walter. Gewiss.
Adam. Ei, ein Stück Käs aus Limburg – mindstens Käse –
Macht erst geschickt die Zunge, Wein zu schmecken.

sich verlohnen wert sein

Weiber Frauen

Sträucher Reisig, am Boden liegendes, als Brennholz geeignetes kleines Astwerk

Schafft Besorgt, lasst … herbeibringen (siehe Vers 195)

Imbiss → Seite 135

Brodes Brotes

Geht doch. Das reicht doch nicht. Nur nicht so anspruchslos.

Gewiss. Doch, doch. Nichts weiter. Wie ich sagte.

Macht erst geschickt Befähigt erst

Walter. Gut. Ein Stück Käse denn, doch weiter nichts.
Adam. So geh. Und weiß, von Damast, aufgedeckt.
Schlecht alles zwar, doch recht.
Die Magd ab.
Das ist der Vorteil
Von uns verrufnen hagestolzen Leuten,
Dass wir, was andre knapp und kummervoll,
Mit Weib und Kindern täglich teilen müssen,
Mit einem Freunde zur gelegnen Stunde,
Vollauf genießen.
Walter. Was ich sagen wollte –
Wie kamt Ihr doch zu Eurer Wund, Herr Richter?
Das ist ein böses Loch, fürwahr, im Kopf, das!
Adam. – Ich fiel.
Walter. Ihr fielt. Hm! So. Wann? Gestern Abend?
Adam. Heut, Glock halb sechs, verzeiht, am Morgen, früh,
Da ich soeben aus dem Bette stieg.
Walter. Worüber?
Adam. Über – gnädger Herr Gerichtsrat,
Die Wahrheit Euch zu sagen, über mich.
Ich schlug Euch häuptlings an den Ofen nieder,
Bis diese Stunde weiß ich nicht, warum?
Walter. Von hinten?
Adam. Wie? Von hinten –
Walter. Oder vorn?
Ihr habt zwo Wunden, vorne ein' und hinten.
Adam. Von vorn und hinten. – Magarethe!
Die beiden Mägde mit Wein u. s. w. Sie decken auf, und gehen wieder ab.
Walter. Wie?
Adam. Erst so, dann so. Erst auf die Ofenkante,
Die vorn die Stirn mir einstieß, und sodann
Vom Ofen rückwärts auf den Boden wieder,

denn nun denn, dann also

weiß, von Damast, aufgedeckt → Seite 136

Schlecht Schlicht, einfach

uns verrufnen hagestolzen Leuten → Seite 136

Vollauf genießen Zur Gänze genießen können

doch denn gleich nochmal

verzeiht vgl. ›mit Verlaub‹ (Vers 646) oder die zahlreichen ›Erlaubt‹

Da ich Als ich (siehe Vers 251)

zwo (Duden: »umgangssprachlich, häufig auch aus Gründen der Deutlichkeit, um eine akustische Verwechslung mit ›drei‹ zu vermeiden«) zwei

Wo ich mir noch den Hinterkopf zerschlug.
Er schenkt ein.
Ist's Euch gefällig?
Walter *nimmt das Glas.* Hättet Ihr ein Weib,
So würd ich wunderliche Dinge glauben,
Herr Richter.
Adam. Wieso?
Walter. Ja, bei meiner Treu,
So rings seh ich zerkritzt Euch und zerkratzt.
Adam *lacht.* Nein, Gott sei Dank! Fraunnägel sind es nicht.
Walter. Glaub's. Auch ein Vorteil noch der Hagestolzen.
Adam *fortlachend.*

Strauchwerk, für Seidenwürmer → Seite 136

aufgesetzt angebracht, befestigt

Strauchwerk, für Seidenwürmer, das man trocknend
Mir an dem Ofenwinkel aufgesetzt. –
Auf Euer Wohlergehn!
Sie trinken.
Walter. Und grad auch heut
Noch die Perücke seltsam einzubüßen!
Die hätt Euch Eure Wunde noch bedeckt.

Rect' direkt (vgl. lat. ›recta via‹: ›geradewegs‹)

Adam. Ja, ja. Jedwedes Übel ist ein Zwilling. –
Hier – von dem fetten jetzt – kann ich –?
Walter. Ein Stückchen.
Aus Limburg?

in den Streit in das Dossier, also in die »umfänglichere Akte, in der alle zu einer Sache, einem Vorgang gehörenden Schriftstücke gesammelt sind« (Duden: ›Dossier‹)

angeht anbrennt

Adam. Rect' aus Limburg, gnädger Herr.
Walter. – Wie Teufel aber, sagt mir, ging das zu?
Adam. Was?
Walter. Dass Ihr die Perücke eingebüßt.
Adam. Ja, seht. Ich sitz und lese gestern Abend
Ein Aktenstück, und weil ich mir die Brille
Verlegt, duck ich so tief mich in den Streit,
Dass bei der Kerze Flamme lichterloh
Mir die Perücke angeht. Ich, ich denke,
Feu'r fällt vom Himmel auf mein sündig Haupt,

Und greife sie, und will sie von mir werfen;
Doch eh ich noch das Nackenband gelöst,
Brennt sie wie Sodom und Gomorrha schon.
Kaum dass ich die drei Haare noch mir rette.
Walter. Verwünscht! Und Eure andr' ist in der Stadt.
Adam. Bei dem Perückenmacher. – Doch zur Sache.
Walter. Nicht allzu rasch, ich bitt, Herr Richter Adam.
Adam. Ei, was! Die Stunde rollt. Ein Gläschen hier.
Er schenkt ein.
Walter.
Der Lebrecht – wenn der Kauz dort wahr gesprochen –
Er auch hat einen bösen Fall getan.
Adam. Auf meine Ehr.
Er trinkt.
Walter. Wenn hier die Sache,
Wie ich fast fürchte, unentworren bleibt,
So werdet Ihr, in Eurem Ort, den Täter
Leicht noch aus seiner Wund entdecken können.
Er trinkt.
Niersteiner?
Adam. Was?
Walter. Oder guter Oppenheimer?
Adam. Nierstein. Sieh da! Auf Ehre! Ihr versteht's.
Aus Nierstein, gnädger Herr, als hätt ich ihn geholt.
Walter. Ich prüft' ihn, vor drei Jahren, an der Kelter.
Adam *schenkt wieder ein.*
Walter. – Wie hoch ist Euer Fenster – Dort! Frau Marthe.
Frau Marthe. Mein Fenster?
Walter. Das Fenster jener Kammer, ja,
Worin die Jungfer schläft?
Frau Marthe. Die Kammer zwar
Ist nur vom ersten Stock, ein Keller drunter,
Mehr als neun Fuß das Fenster nicht vom Boden;

das Nackenband Band, mit dem die Perücke befestigt ist

Sodom und Gomorrha → Seite 136

Stunde rollt Zeit rennt

Kauz »(spöttisch) wunderliche[] Mensch« (DWDS) (siehe auch Vers 124)

Niersteiner … Oppenheimer → Seite 136

Auf Ehre! Ihr versteht's. Bei meiner Ehre, Ihr seid ein Kenner!

als hätt ich ihn geholt so gewiss, als hätte ich ihn selbst von dort mitgebracht

prüft' ihn … an der Kelter → Seite 136

zwar / Ist nur vom ersten Stock befindet sich zwar lediglich im ersten Stock

neun Fuß etwa zwei Meter siebzig

die ganze, wohlerwogene / Gelegenheit sehr ungeschickt zum Springen → Seite 136

auf zwei Fuß in einer Entfernung von etwa sechzig Zentimetern

Spalier (siehe Vers 976)

Eber männliches Schwein

ein gewaffneter → Seite 136

den Fängern den Fangzähnen, den Hauern

die gute Zahl Anspielung auf das Sprichwort ›Aller guten Dinge sind drei‹

Pythagoreer-Regel → Seite 137

Eins … die Welt. Anspielung auf die biblische Schöpfungsgeschichte

der Herr Gott

Firmamente Himmelsgewölbe

Jedoch die ganze, wohlerwogene
Gelegenheit sehr ungeschickt zum Springen.
Denn auf zwei Fuß steht von der Wand ein Weinstock,
Der seine knotgen Äste rankend hin
Durch ein Spalier treibt, längs der ganzen Wand:
Das Fenster selbst ist noch davon umstrickt.
Es würd ein Eber, ein gewaffneter,
Müh mit den Fängern haben, durchzubrechen.

Adam. Es hing auch keiner drin.
Er schenkt sich ein.
Walter. Meint Ihr?
Adam. Ach, geht!
Er trinkt.
Walter *zu Ruprecht.*
Wie traf Er denn den Sünder? Auf den Kopf?
Adam. Hier.
Walter. Lasst.
Adam. Gebt her.
Walter. ’s ist halb noch voll.
Adam. Will’s füllen.
Walter. Ihr hört’s.
Adam. Ei, für die gute Zahl.
Walter. Ich bitt Euch.
Adam. Ach, was! Nach der Pythagoreer-Regel.
Er schenkt ihm ein.
Walter *wieder zu Ruprecht.*
Wie oft traf Er dem Sünder denn den Kopf?
Adam. Eins ist der Herr. Zwei ist das finstre Chaos;
Drei ist die Welt. Drei Gläser lob ich mir.
Im dritten trinkt man mit den Tropfen Sonnen,
Und Firmamente mit den übrigen.
Walter. Wie oftmals auf den Kopf traf Er den Sünder?
Er, Ruprecht, Ihn dort frag ich!

Adam. Wird man's hören?
Wie oft trafst du den Sündenbock? Na, heraus!
Gotts Blitz, seht, weiß der Kerl wohl selbst, ob er –
Vergaßt du's?

Wird man's hören? Wird's bald?

Ruprecht. Mit der Klinke?
Adam. Ja, was weiß ich.
Walter. Vom Fenster, als Er nach ihm herunterhieb?
Ruprecht. Zweimal, ihr Herrn.
Adam. Halunke! Das behielt er!
Er trinkt.
Walter. Zweimal! Er konnt ihn mit zwei solchen Hieben
Erschlagen, weiß Er –?
Ruprecht. Hätt ich ihn erschlagen,
So hätt ich ihn. Es wär mir grade recht.
Läg er hier vor mir, tot, so könnt' ich sagen,
Der war's, ihr Herrn, ich hab euch nicht belogen.
Adam. Ja, tot! Das glaub ich. Aber so –
Er schenkt ein.
Walter. Konnt Er ihn denn im Dunkeln nicht erkennen?
Ruprecht. Nicht einen Stich, gestrenger Herr. Wie sollt' ich?
Adam. Warum sperrtst du nicht die Augen auf – Stoßt an!
Ruprecht. Die Augen auf! Ich hatt sie aufgesperrt.
Der Satan warf sie mir voll Sand.

Nicht einen Stich Nicht im Geringsten

gestrenger → Seite 137

Adam *in den Bart.* Voll Sand, ja!
Warum sperrtst du deine großen Augen auf.
– Hier. Was wir lieben, gnädger Herr! Stoßt an!
Walter. – Was recht und gut und treu ist, Richter Adam!
Sie trinken.

Was wir lieben Auf das, was wir lieben!

Was recht und gut und treu ist Auf das, was recht …

Adam. Nun denn, zum Schluss jetzt, wenn's gefällig ist.
Er schenkt ein.
Walter. Ihr seid zuweilen bei Frau Marthe wohl,
Herr Richter Adam. Sagt mir doch,
Wer, außer Ruprecht, geht dort aus und ein.

Adam. Nicht allzu oft, gestrenger Herr, verzeiht.
Wer aus und ein geht, kann ich Euch nicht sagen.
Walter. Wie? Solltet Ihr die Witwe nicht zuweilen
Von Eurem selgen Freund besuchen?
Adam. Nein, in der Tat, sehr selten nur.
Walter. Frau Marthe!
Habt Ihr's mit Richter Adam hier verdorben?
Er sagt, er spräche nicht mehr bei Euch ein?

spräche nicht mehr bei Euch ein käme Euch nicht mehr besuchen

Frau Marthe.
Hm! Gnädger Herr, verdorben? Das just nicht.
Ich denk er nennt mein guter Freund sich noch.
Doch dass ich oft in meinem Haus ihn sähe,
Das vom Herrn Vetter kann ich just nicht rühmen.
Neun Wochen sind's, dass er's zuletzt betrat,
Und auch nur da noch im Vorübergehn.

Vetter → Seite 137

Walter. Wie sagt Ihr?
Frau Marthe. Was?
Walter. Neun Wochen wären's –?
Frau Marthe. Neun,
Ja – Donnerstag sind's zehn. Er bat sich Samen
Bei mir, von Nelken und Aurikeln aus.

Nelken → Seite 138

Aurikeln → Seite 138

Walter. Und – sonntags – wenn er auf das Vorwerk geht –?
Frau Marthe. Ja, da – da guckt er mir ins Fenster wohl,
Und saget guten Tag zu mir und meiner Tochter;
Doch dann so geht er wieder seiner Wege.
Walter *für sich.*
Hm! Sollt' ich auch dem Manne wohl –
Er trinkt.
Ich glaubte,
Weil Ihr die Jungfer Muhme dort zuweilen
In Eurer Wirtschaft braucht, so würdet Ihr
Zu Dank die Mutter dann und wann besuchen.
Adam. Wieso, gestrenger Herr?

Sollt' ich auch dem Manne wohl – … mit meinem Verdacht Unrecht getan haben?

In Eurer Wirtschaft braucht in hauswirtschaftlichen Angelegenheiten in Anspruch nehmt

Walter. Wieso? Ihr sagtet,
Die Jungfer helfe Euren Hühnern auf,
Die Euch im Hof erkranken. Hat sie nicht
Noch heut in dieser Sach Euch Rat erteilt?

Frau Marthe.
Ja, allerdings, gestrenger Herr, das tut sie,
Vorgestern schickt' er ihr ein krankes Perlhuhn
Ins Haus, das schon den Tod im Leibe hatte.
Vorm Jahr rettete sie ihm eins vom Pips,
Und dies auch wird sie mit der Nudel heilen:
Jedoch zum Dank ist er noch nicht erschienen.

Pips (siehe Vers 560)

Walter *verwirrt.*
– Schenkt ein, Herr Richter Adam, seid so gut.
Schenkt gleich mir ein. Wir wollen eins noch trinken.

Adam.
Zu Eurem Dienst. Ihr macht mich glücklich. Hier.
Er schenkt ein.

Walter. Auf Euer Wohlergehn! – Der Richter Adam,
Er wird früh oder spät schon kommen.

früh oder spät (siehe Vers 1271)

Frau Marthe. Meint Ihr? Ich zweifle.
Könnt' ich Niersteiner, solchen, wie Ihr trinkt,
Und wie mein selger Mann, der Kastellan,
Wohl auch, von Zeit zu Zeit, im Keller hatte,
Vorsetzen dem Herrn Vetter, wär's was anders:
Doch so besitz ich nichts, ich arme Witwe,
In meinem Hause, das ihn lockt.

anders anderes

Walter. Um so viel besser.

Eilfter Elfter

Eilfter Auftritt

Licht. Frau Brigitte *mit einer Perücke in der Hand.*
Die Mägde. Die Vorigen.

Licht. Hier, Frau Brigitt, herein.
Walter. Ist das die Frau, Herr Schreiber Licht?
Licht. Das ist die Frau Brigitte, Euer Gnaden.

beschließen zum Abschluss bringen

Walter. Nun denn, so lasst die Sach uns jetzt beschließen.
Nehmt ab, ihr Mägde. Hier.
Die Mägde mit Gläsern u. s. w. ab.
Adam *währenddessen.*
Nun, Evchen, höre,
Dreh du mir deine Pille ordentlich,
Wie sich's gehört, so sprech ich heute Abend
Auf ein Gericht Karauschen bei euch ein.
Dem Luder muss sie ganz jetzt durch die Gurgel,
Ist sie zu groß, so mag's den Tod dran fressen.

Dreh du mir deine Pille ordentlich → Seite 138

sprech ich … / Auf ein Gericht Karauschen bei euch ein. → Seite 138

Luder → Seite 138

Dem Luder muss sie ganz jetzt durch die Gurgel Gemeint ist (zumindest vordergründig) das Perlhuhn, das die Pille schlucken soll.

Walter *erblickt die Perücke.*
Was bringt uns Frau Brigitte dort für eine
Perücke?
Licht. Gnädger Herr?
Walter. Was jene Frau uns dort für eine
Perücke bringt?
Licht. Hm!
Walter. Was!
Licht. Verzeiht –
Walter. Werd ich's erfahren?
Licht. Wenn Euer Gnaden gütigst
Die Frau, durch den Herrn Richter, fragen wollen,
So wird, wem die Perücke angehört,
Sich, und das Weitre, zweifl ich nicht, ergeben.

Walter. – Ich will nicht wissen, wem sie angehört.
Wie kam die Frau dazu? Wo fand sie sie?
Licht. Die Frau fand die Perücke im Spalier
Bei Frau Margrethe Rull. Sie hing gespießt,
Gleich einem Nest, im Kreuzgeflecht des Weinstocks,
Dicht unterm Fenster, wo die Jungfer schläft.
Frau Marthe. Was? Bei mir? Im Spalier?
Walter *heimlich.* Herr Richter Adam,
Habt Ihr mir etwas zu vertraun,
So bitt ich, um die Ehre des Gerichtes,
Ihr seid so gut, und sagt mir's an.
Adam. Ich Euch – ?
Walter. Nicht? Habt Ihr nicht – ?
Adam. Auf meine Ehre –
Er ergreift die Perücke.
Walter. Hier die Perücke ist die Eure nicht?
Adam. Hier die Perück ihr Herren, ist die meine!
Das ist, Blitz-Element, die nämliche,
Die ich dem Burschen vor acht Tagen gab,
Nach Utrecht sie zum Meister Mehl zu bringen.
Walter.
Wem? Was?
Licht. Dem Ruprecht?
Ruprecht. Mir?
Adam. Hab ich Ihm Schlingel,
Als Er nach Utrecht vor acht Tagen ging,
Nicht die Perück hier anvertraut, sie zum
Friseur, dass er sie renoviere, hinzutragen?
Ruprecht. Ob er – ? Nun ja. Er gab mir –
Adam. Warum hat Er
Nicht die Perück, Halunke, abgegeben?
Warum nicht hat Er sie, wie ich befohlen,
Beim Meister in der Werkstatt abgegeben?

angehört gehört

Frau Margrethe Rull → Seite 139

Kreuzgeflecht dichten Geäst

heimlich (siehe Vers 509)

zu vertraun anzuvertrauen

um die Ehre des Gerichtes um der Ehre des Gerichtes willen; um das Ansehen des Gerichtes nicht noch mehr zu beschädigen

Ihr seid so gut, und sagt mir's an. Ihr gebt Euch einen Ruck und sagt mir, was Ihr zu beichten habt.

Blitz-Element (siehe Vers 197)

die nämliche eben jene

renoviere ausbessere, instand setze

Ruprecht.
Warum ich sie – ? Gotts, Himmel-Donner – Schlag!
Ich hab sie in der Werkstatt abgegeben.
Der Meister Mehl nahm sie –

Adam. Sie abgegeben?
Und jetzt hängt sie im Weinspalier bei Marthens?
O wart, Kanaille! So entkommst du nicht.
Dahinter steckt mir von Verkappung was,
Und Meuterei, was weiß ich? – Wollt Ihr erlauben,
Dass ich sogleich die Frau nur inquiriere?

Walter. Ihr hättet die Perücke – ?

Adam. Gnädger Herr,
Als jener Bursche dort, vergangnen Dienstag,
Nach Utrecht fuhr mit seines Vaters Ochsen,
Kam er ins Amt, und sprach, Herr Richter Adam,
Habt Ihr im Städtlein etwas zu bestellen?
Mein Sohn, sag ich, wenn du so gut willt sein,
So lass mir die Perück hier auftoupieren –
Nicht aber sagt' ich ihm, geh und bewahre
Sie bei dir auf, verkappe dich darin,
Und lass sie im Spalier bei Marthens hängen.

Frau Brigitte.
Ihr Herrn, der Ruprecht, mein ich, halt zu Gnaden,
Der war's wohl nicht. Denn da ich gestern Nacht
Hinaus aufs Vorwerk geh, zu meiner Muhme,
Die schwer im Kindbett liegt, hört' ich die Jungfer
Gedämpft, im Garten hinten jemand schelten:
Wut scheint und Furcht die Stimme ihr zu rauben.
Pfui, schäm Er sich, Er Niederträchtiger,
Was macht Er? Fort. Ich werd die Mutter rufen;
Als ob die Spanier im Lande wären.
Drauf: Eve! durch den Zaun hin: Eve! ruf ich.
Was hast du? Was auch gibt's? – Und still wird es:

Gotts, Himmel-Donner – Schlag! (siehe Vers 1357)

Kanaille (siehe Vers 258)

So entkommst du nicht. So leicht (mit einer so billigen Ausrede) kommst du mir nicht davon.

Verkappung → Seite 139

inquiriere vernehme, verhöre (von lat.: ›inquirere‹: ›untersuchen‹)

mit seines Vaters Ochsen mit dem Ochsenkarren seines Vaters

willt ältere Variante zu ›willst‹

auftoupieren »aufkämmen« (Duden) (von frz.: ›toupet‹: ›Haarbüschel‹)

halt zu Gnaden → Seite 139

Kindbett → Seite 139

Als ob die Spanier im Lande wären → Seite 140

Nun? Wirst du antworten? – Was wollt Ihr, Muhme? –
Was hast du vor, frag ich? – Was werd ich haben. –
Ist es der Ruprecht? – Ei so ja, der Ruprecht.
Geht Euren Weg doch nur. – So koch dir Tee.
Das liebt sich, denk ich, wie sich andre zanken.

Frau Marthe.
Mithin –?

Ruprecht. Mithin –?

Walter. Schweigt! Lasst die Frau vollenden.

Frau Brigitte. Da ich vom Vorwerk nun zurückekehre
Zur Zeit der Mitternacht etwa, und just,
Im Lindengang, bei Marthens Garten bin,
Huscht Euch ein Kerl bei mir vorbei, kahlköpfig,
Mit einem Pferdefuß, und hinter ihm
Erstinkt's wie Dampf von Pech und Haar und Schwefel.
Ich sprech ein Gottseibeiuns aus, und drehe
Entsetzensvoll mich um, und seh, mein Seel,
Die Glatz ihr Herren im Verschwinden noch,
Wie faules Holz, den Lindengang durchleuchten.

Ruprecht.
Was! Himmel – Tausend –!

Frau Marthe. Ist sie toll, Frau Briggy?

Ruprecht.
Der Teufel, meint sie, wär's –?

Licht. Still! Still!

Frau Brigitte. Mein Seel!
Ich weiß, was ich gesehen und gerochen.

Walter *ungeduldig.*
Frau, ob's der Teufel war, will ich nicht untersuchen,
Ihn aber, ihn denunziiert man nicht.
Kann Sie von einem andern melden, gut:
Doch mit dem Sünder da verschont Sie uns.

Licht. Wollen Euer Gnaden sie vollenden lassen.

So koch dir Tee. → Seite 140

Mithin (siehe Vers 351)

bei mir vorbei an mir vorbei

Pferdefuß »1. Fuß des Teufels. 2. missgestalteter menschlicher Fuß« (DWDS)

Erstinkt's Fängt es an zu stinken

Pech und Haar und Schwefel → Seite 140

Gottseibeiuns → Seite 140

Wie faules Holz … das im Dunkeln phosphoresziert (von selbst leuchtet)

Himmel – Tausend –! Ausrufe der Bestürzung und Verblüffung (vgl. ›Potztausend!‹)

toll (siehe Vers 171)

denunziiert man nicht zeigt man nicht an, meldet man nicht (von lat. ›denuntiare‹: ›anzeigen‹)

Blödsinnig Volk, das! Was für verrückte Leute!

Walter. Blödsinnig Volk, das!
Frau Brigitte. Gut, wie Ihr befehlt.
Doch der Herr Schreiber Licht sind mir ein Zeuge.
Walter. Wie? Ihr ein Zeuge?
Licht. Gewissermaßen, ja.
Walter. Fürwahr, ich weiß nicht –

submiss (siehe Vers 625)

Licht. Bitte ganz submiss,
Die Frau in dem Berichte nicht zu stören.
Dass es der Teufel war, behaupt ich nicht;
Jedoch mit Pferdefuß, und kahler Glatze
Und hinten Dampf, wenn ich nicht sehr mich irre,
Hat's seine völlge Richtigkeit! – Fahrt fort!

Da Als (siehe Vers 251)

Den Um den

zu Nacht in der Nacht, nachts

Frau Brigitte. Da ich nun mit Erstaunen heut vernehme,
Was bei Frau Marthe Rull geschehn, und ich
Den Krugzertrümmrer auszuspionieren,
Der mir zu Nacht begegnet am Spalier
Den Platz, wo er gesprungen, untersuche,
Find ich im Schnee, ihr Herrn, Euch eine Spur –
Was find ich Euch für eine Spur im Schnee?

nett gekantet mit sauberen Kanten

unförmig grobhin eingetölpelt formlos plumpe Eindrücke (Spuren)

Rechts fein und scharf und nett gekantet immer,
Ein ordentlicher Menschenfuß,
Und links unförmig grobhin eingetölpelt
Ein ungeheurer klotzger Pferdefuß.
Walter *ärgerlich.*
Geschwätz, wahnsinniges, verdammenswürdges –!
Veit. Es ist nicht möglich, Frau!

Bei meiner Treu! (siehe Vers 227)

Frau Brigitte. Bei meiner Treu!
Erst am Spalier, da, wo der Sprung geschehen,
Seht, einen weiten, schneezerwühlten Kreis,
Als ob sich eine Sau darin gewälzt;
Und Menschenfuß und Pferdefuß von hier,
Und Menschenfuß und Pferdefuß, und Menschenfuß und Pferdefuß,

Quer durch den Garten, bis in alle Welt.
Adam. Verflucht! – Hat sich der Schelm vielleicht erlaubt,
Verkappt des Teufels Art – ?
Ruprecht. Was! Ich!
Licht. Schweigt! Schweigt!
Frau Brigitte.
Wer einen Dachs sucht, und die Fährt entdeckt,
Der Waidmann, triumphiert nicht so, als ich.
Herr Schreiber Licht, sag ich, denn eben seh ich
Von Euch geschickt, den Würdgen zu mir treten,
Herr Schreiber Licht, spart Eure Session,
Den Krugzertrümmrer judiziert Ihr nicht,
Der sitzt nicht schlechter Euch, als in der Hölle:
Hier ist die Spur die er gegangen ist.
Walter. So habt Ihr selbst Euch überzeugt?
Licht. Eur Gnaden,
Mit dieser Spur hat's völlge Richtigkeit.
Walter. Ein Pferdefuß?
Licht. Fuß eines Menschen, bitte,
Doch präterpropter wie ein Pferdehuf.
Adam. Mein Seel, ihr Herrn, die Sache scheint mir ernsthaft.
Man hat viel beißend abgefasste Schriften,
Die, dass ein Gott sei, nicht gestehen wollen;
Jedoch den Teufel hat, soviel ich weiß,
Kein Atheist noch bündig wegbewiesen.
Der Fall, der vorliegt, scheint besonderer
Erörtrung wert. Ich trage darauf an,
Bevor wir ein Konklusum fassen,
Im Haag bei der Synode anzufragen
Ob das Gericht befugt sei, anzunehmen,
Dass Beelzebub den Krug zerbrochen hat.
Walter. Ein Antrag, wie ich ihn von Euch erwartet.
Was wohl meint Ihr, Herr Schreiber?

Erläuterungen zu dieser Seite → Seiten 140 und 141

Licht. Euer Gnaden werden
Nicht die Synode brauchen, um zu urteiln.
Vollendet – mit Erlaubnis! – den Bericht,
Ihr Frau Brigitte, dort; so wird der Fall
Aus der Verbindung, hoff ich, klar konstieren.

Aus der Verbindung … klar konstieren Aus dem Zusammenhang des Gesagten … klar hervorgehen (vgl. lat. ›constare‹: ›existieren, feststehen, stimmen‹)

Frau Brigitte.
Hierauf: Herr Schreiber Licht, sag ich, lasst uns
Die Spur ein wenig doch verfolgen, sehn,
Wohin der Teufel wohl entwischt mag sein.
Gut, sagt er, Frau Brigitt, ein guter Einfall;
Vielleicht gehn wir uns nicht weit um,
Wenn wir zum Herrn Dorfrichter Adam gehn.

gehn wir uns nicht weit um machen wir keinen sonderlichen Umweg

Walter. Nun? Und jetzt fand sich – ?
Frau Brigitte. Zuerst jetzt finden wir
Jenseits des Gartens, in dem Lindengange,
Den Platz, wo Schwefeldämpfe von sich lassend,
Der Teufel bei mir angeprellt: ein Kreis,
Wie scheu ein Hund etwa zur Seite weicht,
Wenn sich die Katze prustend vor ihm setzt.

angeprellt angeprallt ist, stürmisch auf mich zukam → Seite 141

prustend fauchend

Walter. Drauf weiter?
Frau Brigitte.
Nicht weit davon jetzt steht ein Denkmal seiner,
An einem Baum, dass ich davor erschrecke.

steht ein Denkmal seiner findet sich eine »Hinterlassenschaft« (der zurückgelassene Kothaufen, vgl. Vers 1774)

Walter. Ein Denkmal? Wie?
Frau Brigitte. Wie? Ja, da werdet Ihr –
Adam *für sich.* Verflucht mein Unterleib.
Licht. Vorüber, bitte,
Vorüber hier, ich bitte, Frau Brigitte.

Vorüber, bitte Bitte weiter, genug der abstoßenden Einzelheiten, alle haben verstanden, worum es geht

Walter.
Wohin die Spur Euch führte, will ich wissen!
Frau Brigitte.
Wohin? Mein Treu, den nächsten Weg zu Euch,
Just wie Herr Schreiber Licht gesagt.

nächsten direkten

Walter. Zu uns? Hierher?
Frau Brigitte. Vom Lindengange, ja,
Aufs Schulzenfeld, den Karpfenteich entlang,
Den Steg, quer übern Gottesacker dann,
Hier, sag ich, her, zum Herrn Dorfrichter Adam.
Walter. Zum Herrn Dorfrichter Adam?
Adam. Hier zu mir?
Frau Brigitte. Zu Euch, ja.
Ruprecht. Wird doch der Teufel nicht
In dem Gerichtshof wohnen?
Frau Brigitte. Mein Treu, ich weiß nicht,
Ob er in diesem Hause wohnt; doch hier,
Ich bin nicht ehrlich, ist er abgestiegen:
Die Spur geht hinten ein bis an die Schwelle.
Adam. Sollt' er vielleicht hier durchpassiert – ?
Frau Brigitte. Ja, oder durchpassiert. Kann sein. Auch das.
Die Spur vornaus –
Walter. War eine Spur vornaus?
Licht. Vornaus, verzeihn Eur Gnaden, keine Spur.
Frau Brigitte. Ja, vornaus war der Weg zertreten.
Adam. Zertreten. Durchpassiert. Ich bin ein Schuft.
Der Kerl, passt auf, hat den Gesetzen hier
Was angehängt. Ich will nicht ehrlich sein,
Wenn es nicht stinkt in der Registratur.
Wenn meine Rechnungen, wie ich nicht zweifle,
Verwirrt befunden werden sollten,
Auf meine Ehr, ich stehe für nichts ein.
Walter.
Ich auch nicht. *Für sich.* Hm! Ich weiß nicht, war's der linke,
War es der rechte? Seiner Füße einer –
Herr Richter! Eure Dose! – Seid so gefällig.
Adam. Die Dose?
Walter. Die Dose. Gebt! Hier!

Aufs Schulzenfeld vermutlich: Über den Acker, der im Besitz des Schulzen, des Dorfvorstehers, ist

Gottesacker Friedhof neben der Kirche

Ich bin nicht ehrlich (siehe Vers 1108)

vornaus nach vorne hinaus

Ich bin ein Schuft. (siehe Vers 1108)

Ich will nicht ehrlich sein, / Wenn es nicht stinkt in der Registratur. → Seite 141

Verwirrt Als unordentlich geführt, als fehlerhaft

ich stehe für nichts ein ich weise alle Schuld von mir

Ich auch nicht. → Seite 142

Eure Dose! Reicht mir doch bitte Eure Schnupftabaksdose herüber!

Adam *zu Licht.* Bringt dem Herrn Gerichtsrat.
Walter. Wozu die Umständ? Einen Schritt gebraucht's.
Adam. Es ist schon abgemacht. Gebt Seiner Gnaden.
Walter. Ich hätt Euch was ins Ohr gesagt.
Adam. Vielleicht, dass wir nachher Gelegenheit –
Walter. Auch gut.
Nachdem sich Licht wieder gesetzt.
Sagt doch, ihr Herrn, ist jemand hier im Orte,
Der missgeschaffne Füße hat?
Licht. Hm! Allerdings ist jemand hier in Huisum –
Walter.
So? Wer?
Licht. Wollen Euer Gnaden den Herrn Richter fragen –
Walter. Den Herrn Richter Adam?
Adam. Ich weiß von nichts.
Zehn Jahre bin ich hier im Amt zu Huisum,
Soviel ich weiß, ist alles grad gewachsen.
Walter *zu Licht.*
Nun? Wen hier meint Ihr?
Frau Marthe. Lass Er doch seine Füße draußen!
Was steckt Er untern Tisch verstört sie hin,
Dass man fast meint, Er wär die Spur gegangen.
Walter. Wer? Der Herr Richter Adam?
Adam. Ich? die Spur?
Bin ich der Teufel? Ist das ein Pferdefuß?
Er zeigt seinen linken Fuß.
Walter. Auf meine Ehr. Der Fuß ist gut.
Heimlich.
Macht jetzt mit der Session sogleich ein Ende.
Adam. Ein Fuß, wenn den der Teufel hätt,
So könnt' er auf die Bälle gehn und tanzen.
Frau Marthe.
Das sag ich auch. Wo wird der Herr Dorfrichter –

Bringt Bringt sie

Einen Schritt gebraucht's. Ihr seid ja selbst in einem Schritt bei mir.

Es ist schon abgemacht. Gebt Seiner Gnaden. (Zu Walter) Ist schon geregelt. (Zu Licht) Reicht sie dem Herrn Gerichtsrat hinüber.

missgeschaffne Füße Füße mit einer Fehlbildung

verstört »Verstört aussehen, Schrecken, Furcht und Zerstörung durch Mienen und Kleidung verraten« (Adelung, Grammatisch-kritisches Wörterbuch)

Heimlich Leise zu Adam (siehe Vers 1629)

Session (siehe Vers 538)

Adam. Ach, was! Ich!
Walter. Macht, sag ich, gleich ein Ende.
Frau Brigitte. Den einzgen Skrupel nur, ihr würdgen Herrn,
Macht, dünkt mich, dieser feierliche Schmuck!
Adam. Was für ein feierlicher –?
Frau Brigitte. Hier, die Perücke!
Wer sah den Teufel je in solcher Tracht?
Ein Bau, getürmter, strotzender von Talg,
Als eines Domdechanten auf der Kanzel!
Adam. Wir wissen hierzuland nur unvollkommen,
Was in der Hölle Mod ist, Frau Brigitte!
Man sagt, gewöhnlich trägt er eignes Haar.
Doch auf der Erde, bin ich überzeugt,
Wirft er in die Perücke sich, um sich
Den Honoratioren beizumischen.
Walter.
Nichtswürdger! Wert, vor allem Volk ihn schmachvoll
Vom Tribunal zu jagen! Was Euch schützt,
Ist einzig nur die Ehre des Gerichts.
Schließt Eure Session!
Adam. Ich will nicht hoffen –
Walter. Ihr hofft jetzt nichts. Ihr zieht Euch aus der Sache.
Adam. Glaubt Ihr, ich hätte, ich, der Richter, gestern,
Im Weinstock die Perücke eingebüßt?
Walter. Behüte Gott! Die Eur' ist ja im Feuer,
Wie Sodom und Gomorrha, aufgegangen.
Licht. Vielmehr – vergebt mir, gnädger Herr! die Katze
Hat gestern in die seinige gejungt.
Adam.
Ihr Herrn, wenn hier der Anschein mich verdammt:
Ihr übereilt euch nicht, bitt ich. Es gilt
Mir Ehre oder Prostitution.
Solang die Jungfer schweigt, begreif ich nicht,

Skrupel → Seite 142

Ein Bau, getürmter, strotzender von Talg → Seite 142

Domdechant → Seite 142

Den Honoratioren beizumischen → Seite 142

Tribunal (siehe Vers 1272)

die Ehre des Gerichts (die Sorge um) das Ansehen des Gerichts

zieht Euch aus der Sache → Seite 142

Behüte Gott! ironisch: Der Gedanke liegt mir ganz fern!

Sodom und Gomorrha (siehe Vers 1497)

vergebt mir entschuldigt, dass ich mich einmische

übereilt euch nicht sollt nicht voreilig urteilen

Es gilt / Mir Ehre oder Prostitution → Seite 142

Mit welchem Recht ihr mich beschuldiget.
Hier auf dem Richterstuhl von Huisum sitz ich,
Und lege die Perücke auf den Tisch:
Den, der behauptet, dass sie mein gehört
Fordr' ich vors Oberlandgericht in Utrecht.

mein gehört mein ist, mir gehört

Oberlandgericht Oberlandesgericht (die nächsthöhere gerichtliche Instanz)

Licht. Hm! Die Perücke passt Euch doch, mein Seel,
Als wär auf Euren Scheiteln sie gewachsen.
Er setzt sie ihm auf.
Adam. Verleumdung!
Licht. Nicht?
Adam. Als Mantel um die Schultern
Mir noch zu weit, wie viel mehr um den Kopf.
Er besieht sich im Spiegel.

Donnerwetter-Kerl hier: dreister Schurke

Bestie → Seite 142

Ruprecht. Ei, solch ein Donnerwetter-Kerl!
Walter. Still, Er!
Frau Marthe. Ei, solch ein blitz-verfluchter Richter, das!
Walter.
Noch einmal, wollt Ihr gleich, soll ich die Sache enden?
Adam. Ja, was befehlt Ihr?
Ruprecht *zu Eve.* Eve, sprich, ist er's?
Walter. Was untersteht der Unverschämte sich?
Veit. Schweig du, sag ich.
Adam. Wart, Bestie! Dich fass ich.
Ruprecht. Ei, du Blitz-Pferdefuß!
Walter. Heda! der Büttel!

der Büttel! Gerichtsdiener! Greif Er ein! (siehe auch Seite 98)

reich ich dich erreiche, erwische ich dich

Heut streust du keinen Sand mir in die Augen. → Seite 142

Veit. Halt's Maul, sag ich.
Ruprecht. Wart! Heute reich ich dich.
Heut streust du keinen Sand mir in die Augen.
Walter.
Habt Ihr nicht so viel Witz, Herr Richter –?
Adam. Ja, wenn Euer Gnaden
Erlauben, fäll ich jetzo die Sentenz.
Walter. Gut. Tut das. Fällt sie.

Habt Ihr nicht so viel Witz, Herr Richter –? → Seite 142

fäll ich jetzo die Sentenz spreche ich jetzt das Urteil (vgl. lat. ›sententia‹: ›Meinung; Urteil; Gedanke‹)

Adam. Die Sache jetzt konstiert,
Und Ruprecht dort, der Racker, ist der Täter.
Walter. Auch gut das. Weiter.
Adam. Den Hals erkenn ich
Ins Eisen ihm, und weil er ungebührlich
Sich gegen seinen Richter hat betragen,
Schmeiß ich ihn ins vergitterte Gefängnis.
Wie lange, werd ich noch bestimmen.
Eve. Den Ruprecht – ?
Ruprecht. Ins Gefängnis mich?
Eve. Ins Eisen?
Walter. Spart eure Sorgen Kinder, – Seid Ihr fertig?
Adam. Den Krug meinthalb mag er ersetzen, oder nicht.
Walter. Gut denn. Geschlossen ist die Session.
Und Ruprecht appelliert an die Instanz zu Utrecht.
Eve. Er soll, er, erst nach Utrecht appellieren?
Ruprecht. Was? Ich – ?
Walter. Zum Henker, ja! Und bis dahin –
Eve. Und bis dahin – ?
Ruprecht. In das Gefängnis gehn?
Eve. Den Hals ins Eisen stecken? Seid Ihr auch Richter?
Er dort, der Unverschämte, der dort sitzt,
Er selber war's –
Walter. Du hörst's, zum Teufel! Schweig!
Ihm bis dahin krümmt sich kein Haar –
Eve. Auf, Ruprecht!
Der Richter Adam hat den Krug zerbrochen!
Ruprecht. Ei, wart, du!
Frau Marthe. Er?
Frau Brigitte. Der dort?
Eve. Er, ja! Auf, Ruprecht!
Er war bei deiner Eve gestern!
Auf! Fass ihn! Schmeiß ihn jetzo, wie du willst.

konstiert steht fest (siehe auch Vers 1758)

Racker → Seite 142

Den Hals erkenn ich / Ins Eisen ihm Ich verurteile ihn zum Halseisen (siehe Vers 273)

appelliert an die Instanz legt beim Oberlandesgericht in Utrecht Berufung ein (siehe Vers 1858)

Seid Ihr auch Richter? wohl: Seid Ihr denn nicht auch ein Richter (und könntet für Gerechtigkeit sorgen)?

bis dahin krümmt sich kein Haar wird bis zum Berufungsprozess kein Haar gekrümmt werden

Schmeiß ihn → Seite 143

Walter *steht auf.*
Halt dort! Wer hier Unordnungen –
Eve. Gleichviel!
Das Eisen ist verdient, geh Ruprecht!
Geh schmeiß ihn von dem Tribunal herunter.
Adam. Verzeiht, ihr Herrn.
Läuft weg.
Eve. Hier! Auf!
Ruprecht. Halt' ihn!
Eve. Geschwind!
Adam. Was?
Ruprecht.
Blitz-Hinketeufel!
Eve. Hast du ihn?
Ruprecht. Gotts Schlag und Wetter!
Es ist sein Mantel bloß!
Walter. Fort! Ruft den Büttel!
Ruprecht *schlägt den Mantel.*
Ratz! Das ist eins. Und Ratz! Und Ratz! Noch eins.
Und noch eins! In Ermangelung des Buckels.
Walter.
Er ungezogner Mensch! – Schafft hier mir Ordnung!
– An Ihm, wenn Er sogleich nicht ruhig ist,
Ihm wird der Spruch vom Eisen heut noch wahr.
Veit. Sei ruhig, du vertrackter Schlingel!

Gleichviel (siehe Vers 802 und Vers 1399)

Das Eisen ist verdient Das Halseisen hat sich der Schurke redlich verdient

dem Tribunal hier: dem Podium, seinem erhöhten Ehrenplatz als Richter

Halt' Haltet

Gotts Schlag und Wetter! (siehe Vers 1357)

Ratz Interjektion, ähnlich wie ›ratsch‹

des Buckels salopp für: des Rückens

Spruch Richterspruch, Verurteilung

vertrackter → Seite 143

Schlingel → Seite 144

Zwölfter Auftritt

Die Vorigen *ohne* **Adam.** –
Sie begeben sich alle in den Vordergrund der Bühne.

Ruprecht. Ei, Evchen!
Wie hab ich heute schändlich dich beleidigt!
Ei Gotts Blitz, alle Wetter; und wie gestern!
Ei, du mein goldnes Mädchen, Herzens-Braut!
Wirst du dein Lebtag mir vergeben können?
Eve *wirft sich dem Gerichtsrat zu Füßen.*
Herr! Wenn Ihr jetzt nicht helft, sind wir verloren!
Walter. Verloren? Warum das?
Ruprecht. Herr Gott! Was gibt's?
Eve. Errettet Ruprecht von der Konskription!
Denn diese Konskription – der Richter Adam
Hat mir's als ein Geheimnis anvertraut,
Geht nach Ostindien; und von dort, Ihr wisst,
Kehrt von drei Männern einer nur zurück!
Walter. Was! Nach Ostindien! Bist du bei Sinnen?
Eve. Nach Bantam, gnädger Herr; verleugnet's nicht!
Hier ist der Brief, die stille heimliche
Instruktion, die Landmiliz betreffend,
Die die Regierung jüngst deshalb erließ:
Ihr seht, ich bin von allem unterrichtet.
Walter *nimmt den Brief und liest ihn.*
O unerhört, arglistiger Betrug! –
Der Brief ist falsch!
Eve. Falsch?
Walter. Falsch, so wahr ich lebe!
Herr Schreiber Licht, sagt selbst, ist das die Ordre,
Die man aus Utrecht jüngst an euch erließ?

Ei Gotts Blitz, alle Wetter → Seite 144

goldnes → Seite 144

dein Lebtag → Seite 144

Konskription (siehe Seite 134 Mitte)

Geht nach Ostindien → Seite 146

Bantam → Seite 146

verleugnet's nicht! streitet es nicht ab!

stille heimliche / Instruktion, die Landmiliz betreffend → Seite 146

jüngst deshalb ganz kürzlich in dieser Angelegenheit

falsch eine Fälschung

Ordre → Seite 146

an euch erließ euch als offizielle Weisung zukommen ließ

Licht. Die Ordre! Was! Der Sünder, der! Ein Wisch,
Den er mit eignen Händen aufgesetzt! –

aufgesetzt ›komponiert‹ hat, verfertigt hat

Die Truppen, die man anwarb, sind bestimmt
Zum Dienst im Landesinneren; kein Mensch
Denkt dran, sie nach Ostindien zu schicken!
Eve. Nein, nimmermehr, ihr Herrn?
Walter. Bei meiner Ehre!
Und zum Beweise meines Worts: den Ruprecht,
Wär's so, wie du mir sagst: ich kauf ihn frei!

meines Worts meiner Versicherung

ich kauf ihn frei Gegen einen Geldbetrag konnte man sich von der Dienstpflicht in der Miliz befreien lassen.

Eve *steht auf.* O Himmel! Wie belog der Böswicht mich!
Denn mit der schrecklichen Besorgnis eben,
Quält' er mein Herz, und kam, zur Zeit der Nacht,
Mir ein Attest für Ruprecht aufzudringen;
Bewies, wie ein erlognes Krankheitszeugnis,
Von allem Kriegsdienst ihn befreien könnte;
Erklärte und versicherte und schlich,
Um es mir auszufertgen, in mein Zimmer:

auszufertgen auszustellen

So Schändliches, ihr Herren, von mir fordernd,
Dass es kein Mädchenmund wagt auszusprechen!
Frau Brigitte. Ei, der nichtswürdig-schändliche Betrüger!
Ruprecht. Lass, lass den Pferdehuf, mein süßes Kind!
Sieh, hätt ein Pferd bei dir den Krug zertrümmert,
Ich wär so eifersüchtig just, als jetzt!
Sie küssen sich.
Veit.
Das sag ich auch! Küsst und versöhnt und liebt euch;
Und Pfingsten, wenn ihr wollt, mag Hochzeit sein!

Das sag ich auch! Das ist einmal ein vernünftiges Wort!

Licht *am Fenster.*
Seht, wie der Richter Adam, bitt ich Euch,
Berg auf, Berg ab, als flöh er Rad und Galgen,
Das aufgepflügte Winterfeld durchstampft!
Walter. Was? Ist das Richter Adam?
Licht. Allerdings!

flöh er Rad und Galgen wolle er sich durch hastige Flucht einer grausamen und schimpflichen Hinrichtungsart entziehen

Das aufgepflügte Winterfeld → Seite 146

Mehrere. Jetzt kommt er auf die Straße. Seht! seht!
Wie die Perücke ihm den Rücken peitscht!
Walter. Geschwind, Herr Schreiber, fort! Holt ihn zurück!
Dass er nicht Übel rettend ärger mache.
Von seinem Amt zwar ist er suspendiert,
Und Euch bestell ich, bis auf weitere
Verfügung, hier im Ort es zu verwalten;
Doch sind die Kassen richtig, wie ich hoffe,
Zur Desertion ihn zwingen will ich nicht.
Fort! Tut mir den Gefallen, holt ihn wieder!
Licht ab.

Letzter Auftritt

Die Vorigen *ohne* Licht.

Frau Marthe.
Sagt doch, gestrenger Herr, wo find ich auch
Den Sitz in Utrecht der Regierung?
Walter.
Weshalb, Frau Marthe?
Frau Marthe *empfindlich.* Hm! Weshalb? Ich weiß nicht –
Soll hier dem Kruge nicht sein Recht geschehn?
Walter. Verzeiht mir! Allerdings. Am großen Markt,
Und Dienstag ist und Freitag Session.
Frau Marthe. Gut! Auf die Woche stell ich dort mich ein.
Alle ab.

Ende.

Dass er nicht Übel rettend ärger mache. Dass er das Unheil, indem er sich zu retten glaubt, nicht noch größer mache.

suspendiert enthoben

bestell ich beauftrage ich

es zu verwalten es (das Richteramt) auszufüllen

sind die Kassen richtig wurden nicht auch noch Gelder veruntreut

Zur Desertion ihn zwingen will ich nicht. → Seite 147

auch denn nun

Den Sitz … Regierung Den Sitz der Regierung in Utrecht

empfindlich ein wenig beleidigt

Am großen Markt / … Session. → Seite 147

Auf die Woche stell ich dort mich ein. → Seite 148

Illustration von Adolph Menzel (1815–1905) zum zwölften Auftritt von Heinrich von Kleists Lustspiel »Der zerbrochne Krug«. Die Serie von insgesamt 30 Illustrationen entstand für eine Prachtausgabe des Stücks, die 1877 im Verlag Hofmann & Co in Berlin erschien.

Zur Textgestalt

»Der zerbrochne Krug« geht auf eine Art Wette unter Dichterfreunden zurück, zu der es Anfang 1802 in der Schweiz kam. Vielleicht schon dort, mit Sicherheit aber im Sommer 1803 in Dresden begann Kleist an dem Lustspiel zu arbeiten. Während seines Vorbereitungsdienstes für eine Anstellung als preußischer Zivilbeamter entstanden in den Jahren 1804 bis 1806 in Berlin und Königsberg weitere Partien des Stücks; und während seiner Kriegsgefangenschaft in Frankreich im ersten Halbjahr 1807 gelang es Kleist, das Lustspiel abzuschließen. Goethe nahm sich des Stücks an und brachte es Anfang März 1808 am von ihm geleiteten Weimarer Hoftheater heraus. Kurz darauf präsentierte Kleist Teile des Werkes in der von ihm und dem ›Staatsgelehrten‹ und Publizisten Adam Müller in Dresden herausgegebenen Kunstzeitschrift »Phöbus«. Die erste Buchausgabe des ganzen (von Kleist in der vorletzten Szene stark zusammengekürzten) Stücks kam 1811, im Todesjahr des Autors, in Berlin heraus.

In der Buchausgabe ließ Kleist auch die in der Manuskriptfassung enthaltene »Vorrede« weg. Da sie aber sehr interessant ist, wurde sie in vielen späteren Ausgaben dem Dramentext vorangestellt. In der vorliegenden Ausgabe wurde darauf verzichtet, um dem Willen des Autors zu entsprechen. Stattdessen wird sie hier, im Kommentarteil zum Stück, präsentiert. Kleist schreibt:

> Diesem Lustspiel liegt wahrscheinlich ein historisches Faktum [eine wirkliche Begebenheit], worüber ich jedoch keine nähere Auskunft habe auffinden können, zum Grunde. Ich nahm die Veranlassung dazu aus einem Kupferstich, den ich vor mehreren Jahren in der Schweiz sah. Man bemerkte darauf – zuerst einen Richter, der gravitätisch [mit betonter Würde] auf dem Richterstuhl saß: vor ihm stand eine alte Frau, die einen zerbrochenen Krug hielt, sie schien das Unrecht, das ihm widerfahren war, zu demonstrie-

ren: Beklagter, ein junger Bauerkerl, den der Richter, als überwiesen [als der Tat überführt], andonnerte, verteidigte sich noch, aber schwach: ein Mädchen, das wahrscheinlich in dieser Sache gezeugt hatte [als Zeugin gehört worden war] (denn wer weiß, bei welcher Gelegenheit das Deliktum [das Vergehen, die Straftat] geschehen war) spielte sich, in der Mitte zwischen Mutter und Bräutigam, an der Schürze [befingerte verlegen ihre Schürze]; wer ein falsches Zeugnis abgelegt [eine Falschaussage gemacht] hätte, könnte nicht zerknirschter dastehn: und der Gerichtsschreiber sah (er hatte vielleicht vorher das Mädchen angesehen) jetzt den Richter misstrauisch zur Seite [von der Seite] an, wie Kreon, bei einer ähnlichen Gelegenheit, den Ödip. Darunter stand: der zerbrochene Krug. – Das Original [das dem Kupferstich zugrunde liegende Gemälde] war, wenn ich nicht irre, von einem niederländischen Meister.

Der erwähnte Kupferstich mit dem Titel »Le Juge ou la Cruche cassé« (›Der Richter oder Der zerbrochene Krug‹; siehe Seite 89) stammte von Jean Jacques Le Veau und ging nicht, wie Kleist mutmaßte, auf ein Bild eines niederländischen Meisters, sondern auf ein Ölgemälde des französischen Malers Philibert-Louis Debucourt zurück. Der Stich hing bei Heinrich Zschokke, den Kleist möglicherweise schon in seiner Heimatstadt Frankfurt an der Oder kennengelernt hatte, wo er zwischen 1790 und 1795 studiert und anschließend als Privatdozent gewirkt hatte. Als Kleist Ende 1801 Paris den Rücken kehrte und in die Schweiz ging, war Zschokke seine erste Anlaufstelle. Er war 1796 als Leiter einer Erziehungsanstalt in die Schweiz gekommen und ab 1800 knapp zwei Jahre lang Regierungsstatthalter im Kanton Basel gewesen. Im Frühjahr 1802 kaufte er ein Schloss mit einem landwirtschaftlichen Betrieb im Aargau. Kleist folgte ihm nach Bern und spielte für einige Zeit mit dem Gedanken, ebenfalls als Landwirt zu leben.

Zum Freundeskreis von Zschokke zählten zu dieser Zeit neben Kleist auch Ludwig Wieland und Heinrich Geßner. Ludwig Wieland war der Sohn des berühmten Schriftstellers und ehemaligen Weimarer

»Le Juge ou la Cruche cassée«. Kupferstich von Jean Jacques Le Veau (1729–1786) nach einem Ölgemälde von Philibert-Louis Debucourt (1755–1832)

Prinzenerziehers Christoph Martin Wieland, Heinrich Geßner der Sohn des bekannten Schweizer Idyllendichters Salomon Geßner und überdies der Schwiegersohn des alten und Schwager des jungen Wieland. In seiner autobiografischen Schrift »Eine Selbstschau« (1842) berichtete Heinrich Zschokke über die Treffen dieser vier:

> Zuweilen teilten wir uns auch freigiebig von eignen poetischen Schöpfungen mit, was natürlich zu neckischen Glossen [Kommentaren] und Witzspielen den ergiebigsten Stoff lieferte. Als uns Kleist eines Tages sein Trauerspiel »Die Familie Schroffenstein« vorlas, ward im letzten Akt das allseitige Gelächter der Zuhörerschaft, wie auch des Dichters, so stürmisch und endlos, dass, bis zu seiner letzten Mordszene zu gelangen, Unmöglichkeit wurde. Wir vereinigten uns auch [...] zum poetischen Wettkampf. In meinem Zimmer hing ein französischer Kupferstich, »La Cruche cassée«. In den Figuren desselben glaubten wir ein trauriges Liebespärchen, eine keifende Mutter mit einem zerbrochenen Majolika-Kruge [Krug

aus farbig glasierter Keramik], und einen großartigen [großspurig wirkenden] Richter zu erkennen. Für Wieland sollte dies Aufgabe zu einer Satire, für Kleist zu einem Lustspiele, für mich zu einer Erzählung werden. – Kleists »Zerbrochner Krug« hat den Preis davongetragen. (Heinrich von Kleists Lebensspuren. Dokumente und Berichte der Zeitgenossen. Neu herausgegeben von Helmut Sembdner. München: Carl Hanser Verlag 1996, Nr. 67a auf S. 62f.; im Folgenden zitiert als: Lebensspuren)

In Dresden beschäftigte sich Kleist im Sommer 1803 nicht nur mit dem »Zerbrochnen Krug«, sondern auch und vor allem mit dem antiken Amphitryon-Stoff, aus dem er seine gleichnamige Tragikomödie formte. Dazu entlieh er sich aus der Bibliothek, wohl um sich mit dem antiken Drama tiefer vertraut zu machen, zwei Bände mit deutschen Übertragungen der »Wolken« von Aristophanes und einiger Tragödien des Sophokles. Bei der Lektüre des »König Ödipus« merkte er, dass das im Vorjahr verabredete Lustspiel sich nach dem Modell des analytischen Dramas, dessen Prototyp der »König Ödipus« ist, aufbauen ließe. Damit hatte er die Form gefunden, die sich für das Thema am besten eignete. Entsprechend konnte er noch in Dresden dem Freund Ernst von Pfuel, als dieser Zweifel an Kleists komischem Talent äußerte, als prompten Gegenbeweis die ersten drei Szenen des »Zerbrochnen Krugs« diktieren. Die erste Fassung des Stücks schloss Kleist jedoch erst drei Jahre später ab, wie aus einem Brief an Otto August Rühle von Lilienstern vom 31. August 1806 hervorgeht.

Während Kleists Gefangenschaft in Frankreich als vermeintlicher Spion in der ersten Hälfte des Jahres 1807 schickte Adam Müller, der in dieser Zeit auch für das Erscheinen der Buchausgabe des »Amphitryon« sorgte, am 31. Juli von Dresden aus den »Amphitryon« und eine Abschrift des Manuskripts des »Zerbrochnen Krugs« nach Weimar an Goethe (vgl. Lebensspuren, Nr. 183). Dieser las das Stück gleich nach Erhalt der Sendung und am 26. August noch ein zweites Mal (vgl. Lebensspuren, Nr. 184). Am 28. August, dem Tag seines 58. Geburtstags, schrieb er an Müller, Kleists Lustspiel habe »außerordentliche Verdienste, und die ganze Darstellung dringt sich mit gewaltsamer Gegenwart auf. Nur schade, dass das Stück auch wieder dem unsichtbaren Theater angehört.« Damit war gemeint, dass das Werk zwar als Lesedrama außerordentlich anschaulich, aber wenig bühnentauglich sei. Bedauernd und zugleich aufmunternd fuhr er fort: »Könnte er [Kleist] mit eben dem Naturell und Geschick eine wirklich dramatische Aufgabe lösen und eine Handlung vor unsern Augen und Sinnen sich entfalten lassen, wie er hier eine vergangene sich nach und nach enthüllen lässt, so würde es für das deutsche Theater ein großes Geschenk sein.« Und trotz seiner Bedenken versprach er, er wolle »sehen, ob etwa ein Versuch der Vorstellung zu machen sei« (Lebensspuren, Nr. 185).

Tatsächlich ließ Goethe das Stück einstudieren. Kleist, der mittlerweile aus der Militärhaft entlassen und in Dresden eingetroffen war, setzte große Hoffnungen in diese Inszenierung an einer der wichtigsten deutschen Bühnen. Doch die Uraufführung am 2. März 1808 war kein Erfolg. Goethe hatte das Stück in drei Akte unterteilt, deren Pausen mit Zwischenaktmusiken ausgefüllt waren. Vor Kleists Lustspiel wurde eine einaktige Oper gegeben. Lange, aus ganz verschiedenartigen Darbietungen zusammengesetzte Theaterprogramme waren nichts Ungewöhnliches. Dennoch scheint sich das überlange Programm für Kleists Lustspiel nachteilig ausgewirkt zu haben. Goethes Sekretär Friedrich Wilhelm Riemer notierte nach der Aufführung in sein Tagebuch: »Abends ›der Gefangene‹ und der zerbrochene Krug, der anfangs gefiel, nachher langweilte und zuletzt von einigen wenigen ausgetrommelt [ausgebuht] wurde, während andere zum Schlusse klatschten. Um 9 Uhr aus.« (Lebensspuren, Nr. 239 a, b)

Auch die beiden Rezensenten, deren Besprechungen am 11. März in der Leipziger »Allgemeinen Deutschen Theater-Zeitung« und am 14. März in der ebenfalls Leipziger »Zeitung für die elegante Welt« erschienen, äußerten mehr Bedenken als Lob. Der Kritiker der »Theater-Zeitung« bezeichnete das »Sujet«, also die Geschichte, von Kleists

Stück als »recht artig«, kritisierte jedoch: »Aus dem scheuen Schweigen der Tochter, der Verlegenheit und den Wunden des kahlköpfigen Dorfrichters erraten wir sogleich, dass nur er am Abend unter irgendeinem Vorwande bei Jungfer Even gewesen; aber hilf Himmel, hilf! nun müssen wir noch den zweiten und den (das ganze Stück verdarb dritthalb Stunden) eine Stunde währenden, dritten Akt, alles ein einziges Verhör, mit anhören. Dem Erzähler kommt es wohl zu, und wird bei ihm interessant, aber der dramatische Dichter darf die entdeckte Wahrheit nicht so unendlich weit vom endlichen Bekenntnis entfernen.« (Lebensspuren, Nr. 247)

Der Rezensent der Zeitung für die elegante Welt« schlug in die gleiche Kerbe. »Die Geschichte des Stücks« sei »wirklich komisch«, »und es würde gewiss sehr gefallen haben, wenn es auf einen Akt zusammengedrängt und alles gehörig in lebhafte Handlung gesetzt wäre. Stattdessen ist es aber in drei lange Akte abgeteilt, und besonders wird im letzten Akte so entsetzlich viel und alles so breit erzählt, dass dem sonst sehr geduldigen Publikum der Geduldsfaden endlich ganz riss, und gegen den Schluss ein solcher Lärm sich erhob, dass keiner imstande war, von den ellenlangen Reden auch nur eine Silbe zu verstehn.« (Lebensspuren, Nr. 248 a)

Kleists Schock über diese Reaktionen ging tief. Er gab Goethe, der ja die Einteilung in drei Akte vorgenommen hatte, die Hauptschuld für den Misserfolg. Man erzählte sich, Kleist wolle Goethe zum Duell fordern, was auch Goethe zu Ohren kam, der verständlicherweise gekränkt reagierte (vgl. Lebensspuren, Nr. 252 und 267) und Kleist von da an nicht mehr wohlgesonnen war – umso schlimmer für diesen, da er Goethe weiterhin als die einzig maßgebliche literarische Autorität betrachtete.

In seinem Ärger ignorierte Kleist zunächst den wohl wichtigeren Kritikpunkt an seinem Stück, dass nämlich das Publikum früh ahnt, wer der Schuldige ist, dann aber noch lange abwarten muss, bis auch alle Figuren dahinterkommen. Zwar liegt der Reiz einer Komödie oft gerade in der Diskrepanz zwischen dem, was das Publikum weiß, und

Weimar,
Mittwoch, den 2. März 1808.
Der Gefangene.
Oper in einem Aufzuge, Musik von Della Maria.

Hierauf:
Zum Erstenmahle:
Der zerbrochene Krug.
Ein Lustspiel in drei Aufzügen.

Eilfte Vorstellung im sechsten Abonnement.

Balkon	,	16 Gr.
Parket	,	12 Gr.
Parterre	,	8 Gr.
Gallerie	,	4 Gr.

Anfang um halb 6 Uhr.

Heinrich von Kleist: »Der zerbrochne Krug«. Theaterzettel der Uraufführung am Weimarer Hoftheater unter Goethes Leitung (mit falsch geschriebenem mittleren Wort im Titel)

dem, was die Figuren wissen. Doch ist jenseits dessen schon auch eine gewisse Spannung auf den Ausgang der Sache erforderlich.

In einer Art von Trotzreaktion veröffentlichte Kleist einen Teil des Lustspiels im Märzheft 1808 der von ihm und Adam Müller kurz zuvor ins Leben gerufenen Zeitschrift »Phöbus« (vgl. Helmut Sembdner: Heinrich von Kleist: Der zerbrochne Krug. Erläuterungen und Dokumente. Stuttgart: Reclam Verlag 1973, bibliographisch ergänzte Ausgabe 1998, S. 64–67; im Folgenden zitiert als: ED Sembdner). In einer Vorbemerkung begründete er diese Teilveröffentlichung folgendermaßen: »da dieses kleine, vor mehrern Jahren zusammengesetzte, Lustspiel eben jetzt auf der Bühne von Weimar verunglückt ist: so wird es unsere Leser vielleicht interessieren, einigermaßen prüfen zu können, worin dies seinen Grund habe« (zitiert nach ED Sembdner, S. 92).

Allmählich glätteten sich jedoch die Wogen und Kleist gelangte zu einer unvoreingenommeneren Beurteilung seines Stücks. Bevor er das

Lustspiel Ende 1810 dem Berliner Verleger Georg Reimer anbot, in dessen »Realschulbuchhandlung« wichtige Werke der literarischen Romantik (und 1812 beispielsweise auch der erste Band der »Kinder- und Hausmärchen« der Brüder Grimm) erschienen, griff er noch einmal entscheidend in den Text ein, der erst mit diesem Bearbeitungsschritt seine endgültige Gestalt annahm. Der Eingriff betraf die von den Kritikern monierte ausufernde Länge vor allem der Schlusspartien. Kleist kürzte den vorletzten (zwölften) Auftritt radikal zusammen, um das Stück bühnentauglicher zu machen. Die ursprüngliche Langfassung der Szene blieb ihm gleichwohl so wichtig, dass er sie in dem Band, der im Frühjahr 1811 erschien, unter der Überschrift »Variant« als eine Art von Anhang zum eigentlichen Stück mit abdrucken ließ (vgl. ED Sembdner, S. 42–63).

Die in Weimar aufgeführte Fassung des Lustspiels besaß 2429 Verse und war damit um ein Fünftel länger als die Buchfassung von 1811, die 1974 Verse umfasst. Der zwölfte Auftritt, der in der Endfassung lediglich eine knappe Aufklärung über die Intrige Adams und die Versöhnung der beiden Verlobten enthält, bietet in der Erstfassung – die noch nicht in Auftritte eingeteilt war – Eves ausführliche Schilderung all dessen, was sich zwischen ihr und dem Dorfrichter, der sie durch die Vorspiegelung falscher Tatsachen unter Druck zu setzen versucht hat, zugetragen hat. Dieser lange Bericht trägt dazu bei, Eve, die bis dahin hartnäckig geschwiegen hat und daher als Figur notwendig etwas blass geblieben ist, ein stärkeres Profil zu verleihen, strapaziert jedoch die Geduld des Publikums, das sich über die wesentlichen Umstände der Angelegenheit im Verlauf der Verhandlung schon ein hinlängliches Bild gemacht hat. Auch setzt Eves Bericht unmittelbar nach dem starken Spannungsabfall ein, der mit Adams Überführung und Flucht verbunden ist. Das ist psychologisch einleuchtend, da Eve erst nach Adams Entmachtung vor seiner Rache sicher sein kann, dramaturgisch jedoch ungünstig. Überdies fehlt nun die komische Figur des ständigen Unruhestifters Adam, der bis dahin mit seinen Manövern für Spannung und Erheiterung gesorgt hat.

32

II. Fragmente aus dem Lustspiel:

der zerbrochne Krug. *)

Personen:

Walter, Gerichtsrath.
Adam, Dorfrichter.
Licht, Schreiber.
Frau Marthe Rull.
Eve, ihre Tochter.
Veit Tümpel, ein Bauer.
Ruprecht, sein Sohn.

Scene: Gerichtsstube in einem niederländischen Dorf.

A. Erster Auftritt.

Adam (sitzt und verbindet sich ein Bein) Licht (tritt auf)

Licht. Ei, was zum Henker, sagt, Gevatter Adam!
Was ist mit euch geschehn? Wie seht ihr aus!

Adam. Ja, seht. Zum Straucheln braucht's doch nichts als Füſse.
Auf diesem glatten Boden, ist ein Strauch hier?
Gestrauchelt bin ich hier, und jeder trägt
Den leid'gen Stein zum Anstoſs in sich selbst.

Licht. Wie meint ihr das? Wie Teufel, meint ihr das?
Den Stein, behauptet ihr, trug jeglicher — ?

Adam. Zum Fallen, ja, in sich.

Licht (ihn scharf ins Auge fassend) Verflucht das!

*) Wir waren nach dem ersten Plane unsrer Zeitschrift willens, hier das Fragment eines gröſsern Werkes einzurücken (Robert Guiskard, Herzog der Normänner, ein Trauerspiel von dem Verf. der Penthesilea); doch da dieses kleine, vor mehrern Jahren zusammengesetzte, Lustspiel eben jetzt auf der Bühne von Weimar verunglückt ist: so wird es unsere Leser vielleicht interessiren, einigermaſsen prüfen zu können, worin dies seinen Grund habe. Und so mag es, als eine Art von Neuigkeit des Tages, hier seinen Platz finden.

»Fragmente aus dem Lustspiel: der zerbrochne Krug«. In: »Phöbus. Ein Journal für die Kunst«. Herausgegeben von Heinrich v. Kleist und Adam H. Müller. Erster Jahrgang. Drittes Stück. März 1808. Dresden, gedruckt bei Carl Gottlob Gärtner, S. 32 – 46, dort S. 32

Die vorliegende Ausgabe folgt dem Text der Erstausgabe des Stücks, der auch im Internet – sogar gleich zweimal – gut dokumentiert ist (https://www.deutschestextarchiv.de/book/show/kleist_krug_1811 und https://kleist-digital.de/dramen/krug). Vergleichend wurden neben den von Helmut Sembdner herausgegebenen Ausgaben (Hanser und Reclam) folgende Editionen herangezogen: Heinrich von Kleist: Sämtliche Werke. Herausgegeben von Roland Reuß und Peter Staengle (Brandenburger Ausgabe). Band I / 3: Der zerbrochne Krug. Basel; Frankfurt am Main: Stroemfeld Verlag 1995; sowie: Heinrich von Kleist: Der zerbrochne Krug, ein Lustspiel. Textkritische Edition der Handschrift herausgegeben von Günter Dunz-Wolff (Sonderband des Kleist-Jahrbuchs 2020). Berlin: J. B. Metzler (© Springer-Verlag) 2020. Die Fassung der Handschrift lässt sich ebenfalls bequem im Internet studieren (https://kleist-digital.de/dramen/krug_ms).

Die *Rechtschreibung* ist an den heutigen Stand angepasst, der *Lautstand* bleibt jedoch gewahrt, sodass folgende inzwischen veraltete Wortformen unverändert übernommen wurden: »eilf« und »eilfe« (etwa in V. 743 und 744), »Brod« (V. 1446), »kömmt« (V. 69), »Hülf« (V. 112), »funfzehn« (V. 694), »praktisiert« (V. 99), »Sackzehnde« (V. 385), »lüderliche« (V. 455), »mogt'« (V. 871), »hangen« (V. 976) oder »willt« (V. 1660). Die *Zeichensetzung* folgt so stark wie möglich dem Original. Nur dort, wo sich Verständnisschwierigkeiten ergeben könnten, wurde – in Übereinstimmung mit anderen neueren Ausgaben des Stücks – behutsam in die Zeichensetzung eingegriffen (etwa durch ein Komma nach »Ruprecht« in Vers 1289; oder durch die Einfügung von Gedankenstrichen am Ende der Verse 1676 und 1677). Der *Einsatz von Apostrophen* erfolgt im Original – wie in den meisten Werken jener Zeit – ohne rechtes System. Er ist in der vorliegenden Ausgabe vereinheitlicht. Insgesamt wird von Apostrophen nur sparsam Gebrauch gemacht (vor allem dort, wo es zur Identifizierung der gemeinten Verbform notwendig ist), was durch Kleists Entscheidung, im Mittelwort des Titels kein Apostroph zu setzen, gewissermaßen schon vorgegeben ist. Viel Durcheinander herrscht im Original auch bei der Groß- oder Kleinschreibung der *Anredepronomen*. Sie sind im vorliegenden Band – wie in allen neueren Ausgaben – im Sinne der auf Seite 97 erläuterten damaligen Signale gesellschaftlicher Rangabstufungen vereinheitlicht (wobei manches Mal von den von Sembdner getroffenen Entscheidungen abgewichen wird, etwa in Vers 884, in dem in der Reclam-Ausgabe das erste »Er« groß-, das zweite aber kleingeschrieben ist; oder in den Versen 1527, 1531 und 1544, in denen bei Reclam ebenfalls »er« statt »Er« steht). Die im Original verwendete Schreibweise »Ew. Gnaden« wird in der vorliegenden Ausgabe dem Metrum folgend meist als »Eur Gnaden« umgesetzt (etwa in den Versen 306, 331 und 385), während bei Reclam »Euer Gnaden« steht. *Hervorhebungen einzelner Wörter durch gesperrte Schrift* wurden originalgetreu übernommen (vgl. die Verse 301, 799, 800, 812, 1360, 1754 und 1865).

Erläuterungen

Zu den im Lustspiel verwendeten Anredeformen Die DU-ANREDE (das Duzen, die Anrede in der 2. Person Singular) wird um 1800 (also zur Entstehungszeit des Stücks) zwischen Kindern und miteinander verwandten Erwachsenen verwendet. Nicht verwandte, aber miteinander befreundete oder vertraut umgehende Personen duzen sich auf Vereinbarung hin; unter Personen höheren Standes ist das Duzen allerdings nicht sehr verbreitet. – Die ER- beziehungsweise die SIE-ANREDE (die Anrede in der 3. Person Singular; vgl. auch ›Ihm‹ oder ›Ihr‹) wird im Umgang mit Untergebenen, mit Dienstpersonal verwendet. Sie markiert einen deutlichen Rangunterschied zwischen dem Sprecher (der Sprecherin) und dem oder der Angesprochenen. Die übliche Großschreibung (bei der Anrede von Einzelpersonen) deutet aber immerhin eine gewisse Höflichkeit (›Artigkeit‹, hätte man damals gesagt) auch gegenüber Untergebenen an. – Die IHR-ANREDE (die Anrede in der 2. Person Plural) wird als respektvolle Anrede verwendet (daher auch die Großschreibung von ›Ihr‹, ›Euch‹ oder ›Euer‹; werden mehrere Personen angesprochen – wie in »ihr Herren« –, markiert das Pronomen keine gesellschaftliche Rangabstufung und wird kleingeschrieben); schon um 1825 beginnt die IHR-ANREDE allerdings altmodisch zu wirken. – An ihre Stelle tritt um diese Zeit mehr und mehr die heute noch gebräuchliche SIE-ANREDE (das Siezen, die Anrede in der 3. Person Plural). Diese höfliche Anredeform, die bis dahin nur unter Adligen üblich war, wird nun (als gesellschaftliches Gleichstellungssignal) auch von den Angehörigen des Bürgertums übernommen. Mit der voranschreitenden Auflösung der festen Klassenschranken wird später auch den Angehörigen ›unterer Gesellschaftsschichten‹ die höfliche Anrede ›Sie‹ oder ›Ihnen‹ zuerkannt. – ANREDEATTRIBUTE wie in »gnädger Herr« dienen als besondere Respektbezeugung. Personen von hohem Rang werden durch ANREDEFORMELN wie »Euer Gnaden« (»Ihre/Ihro Gnaden«) geehrt.

S. 4 Personen Die Namen der Hauptfiguren des Stücks sind als sogenannte sprechende Namen angelegt: Der Name Walter geht auf das althochdeutsche Verb ›waltan‹ zurück, das ›herrschen‹ bedeutet. Die Namen des Dorfrichters und der Tochter von Frau Marthe Rull spielen auf die ersten Menschen (nach der biblischen Schöpfungsgeschichte) Adam und Eva und damit auf den »Sündenfall« an. Der Gerichtsschreiber Licht durchschaut, wie sich im Laufe der Handlung zeigt, von Anfang an die wahren Zusammenhänge: Er steht entsprechend für ›die Aufklärung‹ – die Aufklärung des Falls, aber auch die Aufklärung als (das europäische 18. Jahrhundert prägende) Epoche, ›deren Kind‹ Heinrich von Kleist war und die im englischen Kulturraum ja nicht von ungefähr den Namen »Age of Enlightenment« trägt.

Gerichtsrat Amtstitel eines höheren Beamten des Justizwesens

Schreiber Amtsschreiber, Sekretär

Büttel Gerichtsdiener, Häscher (also eine »männliche Person, die in amtlichem Auftrag jemanden verfolgt, hetzt und zu ergreifen versucht«, wie ›im Duden‹ erläutert wird)

Handlung Der Kleistforscher Helmut Sembdner (1914 – 1997) kommentiert: »Die Handlung spielt an einem 1. Februar (s. V. 1146) zu Ende des 17. Jh.s; auf den Bantamischen Krieg [auf Java] des Jahres 1685 deuten die Verse 2058–61 im ›Variant‹ « (ED Sembdner [siehe Seite 93], S. 4). Mit dem »Variant« ist der ursprüngliche, deutlich längere Schluss des Lustspiels gemeint – der vorletzte (zwölfte) Auftritt umfasste zunächst gut 500 Verse. Nach der wenig erfolgreichen Uraufführung des Stücks durch Goethe am Weimarer Hoftheater kürzte Kleist diese Szene für die Buchausgabe radikal zusammen (vgl. S. 91 – 95 dieses Bands). Sie umfasst in der Endfassung nur noch knapp 60 Verse. Die ursprüngliche Fassung ist im oben erwähnten Band von Sembdner auf den Seiten 42 bis 60 dokumentiert.

S. 5 was zum Henker »Ausdruck von Ärger, Unmut, Ablehnung, Abneigung« (DWDS, Der deutsche Wortschatz von 1600 bis heute) (vgl. die – heute veralteten – Redensarten jemandem ›den Henker

Illustration von Adolph Menzel (siehe Seite 86) zum Beginn des ersten Auftritts

an den Hals wünschen‹ oder jemanden ›zum Henker wünschen‹). Ähnliche Wendungen finden sich noch mehrfach im Stück, vor allem »Der Henker hol's« (V. 65, 153, 517 und ähnlich 553 sowie 1113). Siehe auch die Verse 84, 119, 189, 845, 1185, 1220 und 1887.

Stein zum Anstoß Die Redewendung geht auf zwei Bibelstellen in Martin Luthers Übersetzung zurück: »Er wird ein Fallstrick sein und ein Stein des Anstoßes und ein Fels des Ärgernisses für die beiden Häuser Israel, ein Fallstrick und eine Schlinge für die Bürger Jerusalems.« (Altes Testament, Jesaja 8,14) »Sie stießen sich am ›Stein des Anstoßes‹, wie es in der Schrift heißt: Siehe, ich richte in Zion einen Stein auf, an dem man anstößt, einen Fels, an dem man zu Fall kommt. Wer an ihn glaubt, wird nicht zugrunde gehen.« (Neues Testament, Römerbrief 9,32)

Ältervater »des Großvaters oder der Großmutter Vater« (Johann Christoph Adelung: Grammatisch-kritisches Wörterbuch der Hochdeutschen Mundart, 1774 bis 1786, 2. Auflage: 1793 bis 1801)

S. 6 das Morgenlied »ein geistlicher Gesang am Morgen, zum Lobe Gottes bei dem Anfange des Tages« (Adelung, Grammatisch-kritisches Wörterbuch)

den gesetzten den bedächtigen, würdevollen (vgl. beispielsweise den Ausdruck ›ein gesetzter Herr‹); Anspielung auf den Klumpfuß Adams (siehe unten Vers 25)

Der ohnhin schwer den Weg der Sünde wandelt doppelte Anspielung, einerseits auf den schwerfälligen Gang eines Menschen, der unter einem Klumpfuß (siehe unten) leidet, andererseits auf den sprichwörtlichen Hinkefuß des Teufels; ›wandelt‹ bedeutet ›gemessen dahinschreitet‹ (oder auch schlicht: ›geht‹).

Klumpfuß Etwa jedes 500. Kind kommt mit einem Klumpfuß zur Welt; Jungen sind doppelt so häufig betroffen wie Mädchen.

eingehetzt von Hunden verfolgt von Jagdhunden; eigentlich bezeichnete das Verb ›einhetzen‹ die Abrichtung von Jagdhunden: »zum Hetzen geschickt machen« (Adelung, Grammatisch-kritisches Wörterbuch)

S. 7 straf mich Gott verkürzte Bekräftigungsfloskel (›Gott strafe mich, wenn ich nicht die Wahrheit spreche‹)

Großknecht der »erste und vornehmste Knecht auf Landgütern, wo man mehrere Knechte hat« (Adelung, Grammatisch-kritisches Wörterbuch)

der Augenknochen heute veraltete Bezeichnung für das Jochbein

im Feuer des Gefechts Variante der heute noch geläufigen Redensart ›im Eifer des Gefechts‹

Ziegenbock, / Am Ofen Gemeint ist sicherlich ein Bock, also ein Gestell (vgl. unten Vers 55). Der Bock: »ein jedes Gerüst oder Gestell etwas zu tragen. […] Denn, sagt man, ein Ziegenbock hat vier Beine, ein Tragebock gemeiniglich auch.« (Adelung, Grammatisch-kritisches Wörterbuch)

mit dem Stirnblatt mit der Stirn; eigentlich: »ein zierliches metallenes Blatt, dasselbe zur Zierde vor die Stirn zu binden. Bei den ältern Juden war es ein Stück des hohen priesterlichen Schmuckes. Bei uns wird noch der breite Riemen an den Pferdegeschirren, welcher um die Stirn des Pferdes gehet, sowohl Stirnblatt als Stirnriemen genannt.« (Adelung, Grammatisch-kritisches Wörterbuch)

Mein Seel! kurz für »Bei meiner Seele!«, »eine[r] in der niedrigen Sprechart«, also in der Umgangssprache, »üblich[en] Art zu schwören« (Adelung, Grammatisch-kritisches Wörterbuch)

S. 8 Utrecht wichtige Stadt in den Niederlanden mit bedeutender Universität (also ein Zentrum der Bildung und Gelehrsamkeit); die Stadt ist seit Jahrhunderten staatliches Verwaltungszentrum und Sitz eines römisch-katholischen Erzbischofs.

kömmt heute nicht mehr gebräuchliche Variante von ›kommt‹

Revisionsbereisung Inspektionsreise; Rundreise mit dem Zweck der Kontrolle, ob die Rechtspflege und Verwaltung überall im Lande ordnungsgemäß erfolgt

den Ämtern ›Das Amt‹ bezeichnet hier die »Handhabung der Rechtspflege, und die Verwaltung der landesherrlichen Einkünfte eines Ortes oder einer Gegend, und eine solche Gegend selbst. In diesem Verstande [Sinne] wird das Wort Amt, wenn es schlechthin gesetzt wird, am häufigsten genommen« (Adelung, Grammatisch-kritisches Wörterbuch).

Seid Ihr bei Trost? Redensart: Seid Ihr bei Sinnen? Seid Ihr bei gesundem Verstand?

Holla … Huisum fiktive Namen von Orten in der niederländischen Provinz, die ähnlich wie »Hussahe« (V. 169) an Rufe im Deutschen anklingen, mit denen Kutscher ihr Gespann antreiben (›Hü! Holla! Hussa!‹) oder Seeleute einander anrufen (wie im »Chor der norwegischen Matrosen« zu Beginn des Dritten Aufzugs von Richard Wagners – allerdings erst nach 1840 entstandener – Oper »Der fliegende Holländer«: »Hussahe! Hallohe / Hussahe! Steuermann! / He! komm und trink mit uns!«)

Grenzdorf an einer Grenze (hier wohl: von zwei Amtsbezirken) liegendes Dorf

revidiert kontrolliert, auf seinen ordnungsgemäßen Zustand hin geprüft (vgl. mittellateinisch ›revidere‹: ›prüfend einsehen‹)

Vorspannpferde »Pferde […], welche einem fremden Wagen vorgespannet werden. […] Mit Vorspann fahren.« (Adelung, Grammatisch-kritisches Wörterbuch)

schirren »mithilfe des Geschirrs an, vor, in etwas spannen« (Duden)

wackre unermüdlich tätige, wachsame. – »Ein wackerer Mann, der seine Pflichten mit Munterkeit und Tätigkeit erfüllet.« (Adelung, Grammatisch-kritisches Wörterbuch)

Sein Schäfchen schiert sprichwörtlich: Sich seinen Vorteil sichert

Fratzen »im gemeinen Leben, eine abenteuerliche Erzählung. Das sind Fratzen. […] Geschwätz, Märchen« (Adelung, Grammatisch-kritisches Wörterbuch); hier eher im Sinne von: Possen, Unfug

kujonieren »(umgangssprachlich veraltend) [bei der Arbeit] unwürdig behandeln, schikanieren, unnötig und bösartig bedrängen« (Duden)

Ach geht! Ach lasst mich (damit) in Ruhe! Kommt mir nicht so!

triefäugig Ein ›Triefauge‹ ist »ein gewöhnlich triefendes Auge, und im verächtlichen Verstande [in abwertendem Sinn], auch eine Person mit solchen Augen, Tränenauge, Rinnauge. Daher triefäugig« (Adelung, Grammatisch-kritisches Wörterbuch).

einen Hut dreieckig einen sogenannten Dreispitz (wie er im 18. Jahrhundert als Männerhut verbreitet war)

Rohr hier wohl ein Spazierstock aus Bambusrohr; möglicherweise aber auch ein »Feuerrohr, ein Feuergewehr, […] eine Flinte« (Adelung, Grammatisch-kritisches Wörterbuch)

Schubiack »niederträchtiger Mensch; Lump […] Herkunft: niederländisch schobbejak« (Duden)

Wohlan Nun gut; nun denn

S. 9 **ein Wort vorher gesteckt** davor eine Warnung zukommen lassen

Der Unverstand! Was für eine Fehlkalkulation! – ›Der Unverstand‹

Illustration von Adolph Menzel (siehe Seite 86) zum Ende des ersten Auftritts

ist »der Gegensatz von Verstand, doch nur sofern dieses Wort eine Fähigkeit der Seele bezeichnet, sowohl das Unvermögen, aus einzelnen Empfindungen allgemeine Wahrheiten herzuleiten, und den Zusammenhang derselben einzusehen, als auch, und zwar am häufigsten, die Unterlassung des pflichtmäßigen Gebrauches dieses Vermögens« (Adelung, Grammatisch-kritisches Wörterbuch)

Revisor Prüfer (von lat. ›revisum‹: ›Revision‹, ›Kontrolle‹)

Wachholder Der Wacholder ist ein »(zu den Nadelhölzern gehörender) immergrüner Strauch oder kleinerer Baum mit nadelartigen oder schuppenförmigen kleinen, graugrünen Blättern und blauschwarzen Beerenfrüchten (die besonders als Gewürz und zur Herstellung von Branntwein verwendet werden)«; »auch Kurzform für Wacholderbranntwein« (Duden)

Wenngleich Wenn auch
praktisiert seltene Variante von ›praktiziert‹ (›verfährt‹, ›führt die Amtsgeschäfte‹)
Edikten Das ›Edikt‹ (früher ›Edict‹) ist ein »öffentlicher und allgemeiner Befehl eines Landesherren, eine Verordnung, Mandat« (Adelung, Grammatisch-kritisches Wörterbuch).
unvermutet unangekündigt, überraschend
Vis'tierte Besichtigte, untersuchte, überprüfte
Registraturen Räume oder auch nur Schränke, Gestelle oder Regale, in denen »Akten, Urkunden, Karteien oder Ähnliches aufbewahrt werden« (Duden)
suspendierte ... ab officio enthob (vorläufig oder dauerhaft) ... ihres Amtes (›ab officio‹ von lat. ›officium‹: ›Pflicht‹; ›öffentliches Amt‹)
in seinem Haus Arrest gegeben Hausarrest erteilt hat; verboten hat, sein Haus zu verlassen
Scheuer Scheune
Sparren »eines von den schräge stehenden, oben in eine Spitze zusammenlaufenden Bauhölzern, welche das Dach eines Gebäudes bilden; der Dachsparren« (Adelung, Grammatisch-kritisches Wörterbuch)
inzwischen umgangssprachlich für ›indessen‹ (›derweil‹)
löst ihn ab nimmt ihn herunter, löst ihn aus der Schlinge
reibt ihn wohl: reibt ihn mit Branntwein ab, um seine Lebensgeister wiederzuerwecken
begießt ihn wohl: ... mit kaltem Wasser
jetzo ältere Variante von ›jetzt‹
wird versiegelt, / In seinem Haus, vereidet und verschlossen wird der Zugang zu seinem (als Tatort betrachteten) Haus mit amtlichem Siegel versperrt und werden Zeugen vereidigt sowie vernommen
vereidet ältere Form von ›vereidigt‹ (hier im Sinne von: als Zeugen befragt)
beerbt neu vergeben
liederlicher unmoralischer, sittenloser

mit dem sich's gut zusammen war den man gerne um sich hatte; mit dem es sich gut aushalten ließ

S. 10 So ging's ihm schlecht, dem armen Kauz, das glaub ich So glaube ich gern, dass es dem armen Kerl schlecht erging

ohnfehlbar ältere Variante von ›unfehlbar‹

Jetzt gilt's Freundschaft. Jetzt kommt es darauf an, fest zusammenzuhalten.

Ihr wisst, wie sich zwei Hände waschen können. vgl. die Redensart ›eine Hand wäscht die andere‹ (Gemeint ist: Man unterstützt sich gegenseitig, um sich beiderseits Vorteile zu verschaffen.)

so gut wie einer wie kaum einer sonst

den Kelch vorübergehn vgl. das Gebet Jesu im Garten Gethsemane kurz vor seiner Verhaftung, dem Auftakt zu seinem Erlösertod am Kreuz: »Mein Vater ist's möglich, so gehe dieser Kelch an mir vorüber; doch nicht, wie ich will, sondern wie du willst!« (Matthäus-Evangelium 26, 39, Lutherbibel 2017)

auch aber auch; denn bloß

Euren Cicero Der Anwalt, Politiker und philosophische Schriftsteller Marcus Tullius Cicero (106 – 43 v. Chr.) gilt als einer der größten Redner aller Zeiten; seine Gerichtsreden und politischen Reden wurden an den humanistischen Schulen und Universitäten als Musterbeispiele der Rednerkunst studiert.

Trotz einem Mehr als einer; wie kaum jemand sonst (sehr fleißig)

auf der Schul wohl: auf der hohen Schule; auf der Universität

Gevatterleute vertrauten Freunde

Geht mir fort. Redensartlich und bildlich: Lasst mich in Frieden. Verschont mich mit Eurem Misstrauen.

Zu seiner Zeit ... Mazedonien Der für seine Biografien berühmter Männer der griechischen und römischen Antike bekannte griechische Schriftsteller Plutarch (um 45 bis um 125 n. Chr.) berichtet in der Lebensbeschreibung des griechischen Redners und Staatsmanns Demosthenes (384 – 322 v. Chr.), dass dieser im Jahr 324 v. Chr. von dem nach Athen geflüchteten Schatzmeister Alexanders des Großen, des Königs von Makedonien, als Gegenleistung für die Fluchthilfe eine größere Summe (20 Talente) erhielt, was bei einer von Demosthenes selbst veranlassten Untersuchung herauskam. Demosthenes wurde zu einer Geldstrafe von 50 Talenten verurteilt und musste, da er die Summe nicht aufbringen konnte, ins Gefängnis. Nach kurzer Zeit gelang ihm die Flucht und als Alexander, der schon seit dem Jahr seines Regierungsantritts (336) seine, Demosthenes', Auslieferung gefordert hatte, im Folgejahr 323 starb, kehrte er nach Athen zurück und wandte sich neuerlich öffentlich gegen die makedonische Partei. Als der makedonische Statthalter 322 einen militärischen Sieg über Athen errang, nahm sich Demosthenes das Leben, um sich seiner drohenden Verhaftung zu entziehen.

für mein Teil was mich anbelangt

Depositionen Hinterlegungen (Bürgschaften, Verwahrungen); ein Begriff der Rechtssprache, übernommen aus dem Spätlateinischen (›depositio‹: ›Niederlegen, Ablegen‹)

Perioden drehn Reden drechseln. Eine Periode ist im Kontext der Redekunst »ein Teil einer Rede, welcher aus mehrern untereinander verbundenen Haupt- und Nebensätzen bestehet, und mit einem Punkte geschlossen wird, ein bis zu einer gewissen Länge erweiterter Hauptsatz« (Adelung, Grammatisch-kritisches Wörterbuch), also ein anspruchsvoll gebauter, hypotaktischer Satz.

S. 11 Schwank »kurze launige, oft derbkomische Erzählung in Prosa oder Versen« oder auch »lustiges Schauspiel mit Situations- und Typenkomik« (Duden)

Turm zu Babylon (hier als Sinnbild eines großen Durcheinanders; vgl. die ›babylonische Sprachverwirrung‹ als Folge des im Alten Testament – 1. Mose 11 – geschilderten ›Turmbaus zu Babel‹)

S. 12 den Rock den Gehrock, eine »meist zweireihig geknöpfte (Herren)jacke mit knielangen, vorn übereinandergreifenden Schößen« (Duden)

Beffchen »Halsbinde mit zwei steifen, schmalen Leinenstreifen vorn am Halsausschnitt von Amtstrachten« (Duden)

Illustration von Adolph Menzel (siehe Seite 86) zum Anfang des zweiten Auftritts

Kragen hier wahrscheinlich Teil der richterlichen Amtstracht, der »den Hals in Gestalt eines Rades umgab, viele krause Falten hatte, und noch an vielen Orten von den Geistlichen, sowie noch an einigen von den Ratspersonen, getragen, und auch die Krause genannt wird« (Adelung, Grammatisch-kritisches Wörterbuch)

lässt sich / Entschuldigen lässt zu seinem Bedauern ausrichten, dass er nicht da sein kann

Mein Empfehl. ältere Variante von ›Empfehlung‹: »Man lässt dem geringeren Mann ein ›Compliment‹, dem Vornehmeren eine ›Empfehlung‹ sagen.« (Jacob und Wilhelm Grimm: Deutsches Wörterbuch, 32 Bände, Leipzig 1854–1960)

purgiert mich doppelsinnig: läutert mich moralisch (vgl. lat. ›purgare‹: ›reinigen‹); aber auch: reinigt mich innerlich (durch Abführen)

Ich wäre krank. Richte Er aus, ich sei krank.

Der Herr Gerichtsrat wär sehr angenehm. / Wollt Ihr? wohl als an den Bedienten gerichtete höfliche Bemerkung aufzufassen: Der Herr Gerichtsrat ist uns sehr willkommen. Würdet Ihr ihm das ausrichten?

S. 13 dass Ihr auf den Weg ihm leuchtet im Allgemeinen, und so auch hier, sprichwörtlich für: dass Ihr ihn grob abfertigt, ihn unhöflich drängt, schnell wieder zu verschwinden; hier zugleich aber mit dem Nebensinn: dass Ihr ihn unfreiwillig auf die rechte Spur setzt (sodass er Euer Geheimnis aufdecken kann)

Der Sack voll Knochen! in volkstümlich-derber bildhafter Rede: Die dürre Person!

Maulaffe »in der niedrigen Sprechart und verächtlichem Verstande, ein Mensch, welcher etwas mit aufgesperrtem Munde, mit dummer Bewunderung angaffet, und in weiterer Bedeutung ein dummer Mensch« (Adelung, Grammatisch-kritisches Wörterbuch)

Kuhmagd »Magd, die besonders die Kühe melkt und versorgt« (DWDS)

Wir sind im Hohlweg umgeworfen! Unsere Kutsche wurde im Hohlweg – einem »zwischen steilen [Fels]abhängen tief eingeschnittene[n] Weg« (Duden) – umgeworfen.

S. 14 Pupillenakten Vormundschaftsakten. Der ›Pupill‹, »aus dem Lat. Pupillus, Pupilla«, ist »eine der Aufsicht eines Vormundes anvertraute minderjährige Person; wofür wir [...] das gute deutsche Wort Mündel haben« (Adelung, Grammatisch-kritisches Wörterbuch)

Glock eilf Im Niederdeutschen wurde ›Glock‹ gleichbedeutend mit ›Uhr‹ verwendet: »Ich komme um neun [Uhr]. Es hat schon neun geschlagen. [...] ich komme Glock neun« (Adelung, Grammatisch-kritisches Wörterbuch); ›eilf‹ war eine seinerzeit verbreitete Variante von ›elf‹.

S. 15 meiner Treu »Auf Treu und Glauben handeln. Bei meiner Treu! Auf meine Treu! eine im gemeinen [gewöhnlichen] Leben übliche Art der Versicherung, mea fide, franz. ma foi.« (Adelung, Grammatisch-kritisches Wörterbuch)

Ich will nicht ehrlich sein. Redewendung, mit der versichert wird, man sei bereit, sich eine Lügnerin oder einen Lügner nennen zu lassen, wenn sich das, was man gerade gesagt habe, als unwahr herausstellen sollte

S. 16 Schwarzgewand wohl eine Anspielung auf die Kleidung der Frau des Küsters; oder auf die schwarze Amtstracht ihres Mannes

S. 17 Es geht bunt alles überecke mir. Redewendung, die laut dem »Deutschen Wörterbuch« von Jacob und Wilhelm Grimm »wildeste, tollste Verwirrung, die alle Grenze überschreitet«, anzeigt

Ich schält' und hunzt' und schlingelte mich herunter Ich würde mich schelten (›ausschimpfen‹), aushunzen (ebenfalls ›ausschimpfen‹) und herunterschlingeln (›einen Schlingel – nach Adelung: einen »im höchsten Grade träge[n] und ungesittete[n] Mensch[en]« – nennen und auf diese Weise herabsetzen‹).

judiziert' den Hals ins Eisen mir Das Halseisen war »ein eisernes Band, welches Übeltätern in manchen Fällen um den Hals geleget wird. Einen Verbrecher an das Halseisen stellen, oder schließen.« (Adelung, Grammatisch-kritisches Wörterbuch) Siehe auch die Erläuterung zu ›Pranger‹ auf Seite 134. ›Judizieren‹ bedeutet »Recht sprechen; gerichtlich urteilen, entscheiden; richten« (Duden) (von lat. ›iudicare‹: ›Recht sprechen, richten‹)

den Fichten einem nahegelegenen Fichtenwäldchen (vgl. Vers 1439)

ausgehunzten ›aushunzen‹: sehr umgangssprachlich derb »für ausschelten, beschimpfende Verweise geben« (Adelung, Grammatisch-kritisches Wörterbuch); siehe oben Vers 272

S. 18 unsrer Staaten die von 1581 bis 1795 bestehende ›Republik der Vereinigten Niederlande‹, die von den Deutschen meist als ›die Generalstaaten‹ bezeichnet wurde

Die Rechtspfleg auf dem platten Land Die Qualität des Justizwesens außerhalb der städtischen Zentren

Eur Gnaden ›Euer Gnaden‹: »ein Ehrentitel gewisser Personen; im Abstracto Ew. Gnaden. Seine Gnaden, Ihre Gnaden. Ehedem gab man diesen Titel den Kaisern, Königen und weltlichen Fürsten.

Seitdem aber Majestät und Durchlaucht üblich geworden sind, bekommen ihn die geistlichen Kurfürsten, ingleichen die gefürsteten Bischöfe und Äbte, wenn sie nicht geborne Fürsten sind, in manchen Fällen auch die neufürstlichen Häuser, ferner die Reichsgrafen und alten Freiherren, mit Beifügung ihrer andern Unterscheidungswürde. Ew. Kurfürstliche, Hochfürstliche, Fürstliche, Bischöfliche, Hochgräfliche, Freiherrliche Gnaden. Ja es verlangen diesen Titel alle geringere Edelleute von ihren Bedienten und Untertanen« (Adelung, Grammatisch-kritisches Wörterbuch).

hie und da früher verbreitete Variante zu: hier und da

Den alten Brauch im Recht Das hier – auf dem Lande – seit Langem (seit jeher) gebräuchliche Verfahren der Rechtsprechung

Seit Kaiser Karl dem Fünften Anspielung auf die vom Kaiser des Heiligen Römischen Reiches und spanischen König Karl V. (1500–1558) 1532 erlassene »Constitutio Criminalis Carolina (CCC) oder Carolina (in zeitgenössischer Übersetzung ›Peinliche Gerichts- oder Peinliche Halsgerichtsordnung Kaiser Karls V.‹ [...])«, die »als erstes allgemeines deutsches Strafgesetzbuch« gilt. »Der Begriff ›Peinlich‹ bezieht auf das lateinische poena für ›Strafe‹ und meint Leibes- und Lebensstrafen.« (Wikipedia-Artikel »Constitutio Criminalis Carolina«; Zugriff: 19. 7. 2023)

S. 19 den Puffendorf Gemeint ist der »deutsche[] Naturrechtsphilosoph, Historiker sowie Natur- und Völkerrechtslehrer am Beginn des Zeitalters der Aufklärung« Samuel Pufendorf, »ab 1694 Freiherr von Pufendorf« (1632–1694), der »als Begründer der Vernunftrechtslehre« gilt (Wikipedia-Artikel »Samuel von Pufendorf«; Zugriff: 19. 7. 2023).

Viel Spreu! vgl. das Sprichwort ›die Spreu vom Weizen trennen‹ (das Schädliche aussondern, damit nur das Nützliche übrigbleibt)

Zwei kleine Meilen Etwa 14 Kilometer; eine sogenannte preußische Meile entsprach annähernd 7,5 Kilometern, ›klein‹ meint ›knapp‹ (wie in Vers 391).

Aufzuwarten Höflichkeitsfloskel: Zu dienen! Ganz recht! Sehr wohl!

Illustration von Adolph Menzel (siehe Seite 86) zum Anfang des vierten Auftritts

›Aufwarten‹ bedeutet im engeren Sinn ›bei Tisch bedienen‹, ›als Speise anbieten‹.

S. 20 gestrenger Herr höfliche, hohen Respekt ausdrückende Anrede

der Veruntreuung der vorsätzlichen Unterschlagung (Abzweigung für eigene Zwecke) öffentlicher Gelder

nicht mehr verschont nicht durchgehen lassen kann und konsequent bestrafen muss

Ich stand im Wahn Ich lebte in der Vorstellung; ich dachte

Rhein-Inundations-Kollekten-Kasse Fonds (»für bestimmte Zwecke gebildete Vermögensreserve«, Duden) zur Behebung etwaiger Schäden nach einer Rheinüberschwemmung

Kollekten Beiträge, Sammlungen der Spendengelder

wenn's beliebt Floskel: wenn es Euch recht ist

Illustration von Adolph Menzel (siehe Seite 86) zum Ende des vierten Auftritts

wohne … bei sehe … zu; nehme als Beobachter … teil
nehmen nehmen … uns vor, überprüfen
Hanfriede oder auch Hanfried: Rufname einer Person, deren Vornamen Johann Friedrich lauten; wie es etwa bei Kurfürst Johann Friedrich I. von Sachsen (1503–1554) der Fall war
S. 21 So sehr … verlegen bin. So sehr ich auch fürchten muss, ohne Perücke (damals ein fast unverzichtbarer Teil der richterlichen Amtstracht) in meiner Autorität als Richter stark beschädigt zu sein.
Pächter Person, die ein Stück Land bewirtschaftet, über das sie mit dem Eigentümer einen Pachtvertrag abgeschlossen hat, für dessen Dauer sie über die Nutzung frei bestimmen kann
S. 24 Ich aber setze noch den Fuß eins drauf Redewendung, die in der verkürzten Form ›Ich setze noch eins drauf‹ weiterhin geläufig ist
Metze »eine Weibsperson, welche ihren Leib Mannspersonen auf eine unerlaubte Art überlässet; eine Hure, obgleich nicht mit ei-

Illustration von Adolph Menzel (siehe Seite 86) zum Ende des fünften Auftritts

nem so harten und verächtlichen Nebenbegriffe, als diesem Worte anklebet. Es scheinet im Oberdeutschen am üblichsten zu sein.« (Adelung, Grammatisch-kritisches Wörterbuch)

S. 25 der würdge Holzgebein der ehrenhafte Mann, der im Krieg ein Bein verloren und nun ein Holzbein hat

seinen Stock im Militär geführt die ihm anvertrauten Rekruten mit harter Hand (mit Schlägen) zu tüchtigen Soldaten geformt hat

den Kamm zertreten, / Der mir bis an die Krüge schwillet vgl. die Redewendung ›mir schwillt (vor Zorn) der Kamm‹, die auf den Hahnenkamm zurückgeht, der sich bei Erregung – zu der Hähne angeblich neigen (daher ja auch die Rede von den ›Streithähnen‹) – mit Blut füllt und davon anschwillt

S. 26 von Herodes' Zeiten her vom Anfang der Zeitrechnung her. Gemeint ist ›Herodes der Große‹ (73 – 4 v. Chr.), der zur Zeit von Jesu Geburt als römischer Klientelkönig über Judäa herrschte.

Illustration von Adolph Menzel (siehe Seite 86) zum Anfang des sechsten Auftritts

Du sprichst, wie du's verstehst. Du fasst die Sache – nach Maßgabe deines Verstandes – ganz falsch auf.

Die Fiedel »Ein Werkzeug von Holz in Gestalt einer Fiedel, welches leichtfertigen Personen am Pranger um den Hals und um die Hände geleget wird; eine Geige. Jemanden in die Fiedel spannen.« (Adelung, Grammatisch-kritisches Wörterbuch)

in der Kirche … Buße tun »Kirchenbuße (lat. poenitentia publica […]) bezeichnet in der alten Kirche öffentlich zu verrichtende Bußwerke, die groben und öffentlichen Sündern auferlegt wurden. […] Obwohl die Kirchenbuße gegen Ende des 16. Jahrhunderts vielerorts abgeschafft wurde, wurde sie zu Teilen im 18. Jahrhundert wieder eingeführt. Aufgrund von steigenden Kindstötungsdelikten wurde sie dann jedoch wieder abgeschafft, so z. B. 1786 in Weimar durch Goethe.« (Wikipedia-Artikel »Kirchenbuße«; Zugriff: 19. 7. 2023)

Illustration von Adolph Menzel (siehe Seite 86) zum Ende des sechsten Auftritts

Dein guter Name Gemeint ist: Dein Ruf als unbescholtene, ›sittsame‹ junge Frau

Schergen Ein Scherge ist eine »männliche Person, die unter Anwendung von Gewalt jemandes (besonders einer politischen Macht) Aufträge vollstreckt«; ein »Handlanger« (Duden).

Block »Klotz, in den die Füße eines Gefangenen eingeschlossen wurden« (DWDS)

weiß zu brennen wiederherzustellen, zu reinigen (weißzuwaschen)

zu glasieren »mit einer Glasur [zu] überziehen und dadurch [zu] glätten oder haltbar [zu] machen« (Duden)

vierschrötge Schlingel derb-ungehobelte Tunichtgut mit seiner kräftig-gedrungenen Gestalt

S. 28 Attest offizielle Bescheinigung (besonders über den Gesundheitszustand einer Person)

Frakturschrift »(heute nicht mehr gebräuchliche) Druckschrift mit gebrochenen Linien« (daher der Name; vgl. ›Fraktur‹: ›Bruch‹); die sogenannte »deutsche Schrift« (Duden)

knackern laut knistern

heut übers Jahr in genau einem Jahr

Dir Trauerschürz und Mieder zuzuschneiden Um dir die Trauerkleidung (daraus) zu schneidern

Batavia »Batavia war von 1619 bis 1799 das Hauptquartier der Niederländischen Ostindien-Kompanie in Asien und bis zur Unabhängigkeit Indonesiens in den 1940er Jahren die Hauptstadt Niederländisch-Indiens. Seitdem ist es unter dem Namen Jakarta Hauptstadt Indonesiens. [...] Batavia hatte in der Vergangenheit zwei Beinamen: ›Der Kirchhof Europas‹, der hohen Sterblichkeit der Neuankömmlinge in der Epoche der Niederländischen Ostindien-Kompanie wegen, und ›Königin des Ostens‹ wegen seiner städtebaulichen Schönheit.« (Wikipedia-Artikel »Batavia (Niederländisch-Indien«; Zugriff: 19. 7. 2023)

an welchem Fieber ... War's gelb, war's scharlach, oder war es faul ›Gelbfieber‹ ist eine »(in tropischen Gebieten Afrikas und Amerikas vorkommende) mit hohem Fieber und Erbrechen einhergehende Infektionskrankheit, deren Erreger die Gelbfiebermücke überträgt«, ›Scharlach‹ eine »(am häufigsten bei Kindern auftretende) mit sehr hohem Fieber, Kopf- und Halsschmerzen und rotem Hautausschlag einhergehende Infektionskrankheit« und ›Faulfieber‹ eine der vielen Bezeichnungen (neben etwa ›Kriegspest‹ oder ›Lazarettfieber‹) für ›Fleckfieber‹, eine »durch Läuse übertragene Infektionskrankheit des Menschen« (alle Erläuterungen: Duden).

den Partein den am Rechtsstreit beteiligten Seiten; den Klägern wie auch den Beklagten

Session Sitzung, Verhandlung

zweideutge Sprache führen mehrdeutige Bemerkungen machen, verdächtige Unterhaltungen führen, heimliche Absprachen treffen

gebührt zukommt

Verhör Verhör ist es

Illustration von Adolph Menzel (siehe Seite 86) zum Anfang des siebenten Auftritts

da ich Abschied nahm als ich Abschied nahm (siehe Vers 251)

Auf Ehre nicht! Bei meiner Ehre nicht!

Ich hatte sie behutsam drauf gehängt Gemeint ist die Perücke.

S. 29 Zwei Fälle … so bricht's. Adam ist offenkundig in Sorge, wie die Sache für ihn ausgehen wird, und versucht sich zu beruhigen, indem er sich sagt, dass es nur zwei Möglichkeiten gebe und dass er die Sache schon überstehen werde, wenn er nur ›ohne Rücksicht auf Verluste‹ vorgehe und sich ›zu allem entschlossen‹ zeige; denn dies bedeutet ja die Redewendung ›auf Biegen und Brechen‹, die sich in seine Gedanken drängt und damit seine unterschwelligen Einstellungen offenbart. Zudem ist es wohl kein Zufall, dass beide Verben in sprachlichen Wendungen wie ›das Gesetz brechen‹ oder ›das Recht beugen‹ vorkommen beziehungsweise anklingen; auch vor solchen Rechtsbeugungen scheint dieser Richter nicht zurückzuschrecken, wenn es um seinen Vorteil geht.

Perlhuhn »eine Art Afrikanischer Hühner, welche von der Küste Guinea zu uns gebracht worden, und unsern zahmen Hühnern gleichen, nur dass sie einen unterwärts gebogenen Schwanz, einen harten Höcker auf dem Kopfe, und perlenfarbene Flecken und Punkte auf den schwarzen Federn haben« (Adelung, Grammatisch-kritisches Wörterbuch)

nudeln »Hühner nudeln: mit fingerdicken, aus Gerstenschrot, Maismehl und Magermilch oder Wasser hergestellten Röllchen gewaltsam vollstopfen und so mästen« (DWDS)

Jungfer »ein aus Jungfrau zusammengezogenes Wort, welches im gemeinen [gewöhnlichen] Leben stattdessen üblich ist«; »ein Ehrentitel, wo man es lieber gebraucht als das vollständigere Jungfrau. Jungfer Schwarzin. Ihre Jungfer Tochter, Jungfer Schwester. Man gibt es in diesem Verstande als ein Ehrentitel unverheirateten Personen weiblichen Geschlechtes, welche man nicht schlechthin bei ihrem Namen nennen will und darf, und auch nicht für vornehm genug hält, sie mit dem franz. Mamsell oder Mademoiselle anzureden, dergleichen besonders Töchter gemeiner Bürger, und andere ihres Standes sind« (Adelung, Grammatisch-kritisches Wörterbuch).

S. 31 Auf, aufgelebt, du alter Adam! Der Richter Adam spricht sich selbst Mut zu. Der Mehrwortausdruck ›alter Adam‹, der durch Luthers Bibelübersetzung Eingang in die deutsche Sprache gefunden hat, hat dabei die spezifische Bedeutung »der Mensch unter dem Blickwinkel seiner ihm innewohnenden Schwächen, Eigenheiten oder schlechten Gewohnheiten« (DWDS), also im religiösen Sinne ›der sündige Mensch‹. Auf dieser Bedeutung beruhen Redensarten wie ›den alten Adam ausziehen‹ (›ein neuer, besserer Mensch werden‹) oder ›der alte Adam regt sich wieder‹ (›in alte, sündige Gewohnten zurückfallen‹). Diese Wendungen und Bedeutungen waren früher allgemein geläufig, heute sind sie verblasst und den meisten nicht mehr bekannt.

Das lügt sie in den Hals hinein redensartlich, wohl für: Mit dieser Lüge betrügt sie sich selbst! Vielleicht auch: Mit dieser Lüge bringt sie sich selbst ins Halseisen (an den Pranger).

S. 32 kein Jota nicht im Geringsten (›Jota‹ ist eigentlich der neunte Buchstabe des griechischen Alphabets.)

im Reich vermutlich im Sinne von: im ganzen Land; es könnte aber auch das ›Heilige Römische Reich Deutscher Nation‹ gemeint sein.

Sind die gesamten niederländischen Provinzen Auf dem zu Bruch gegangenen Krug befand sich eine Darstellung der feierlichen Übergabe der niederländischen Provinzen des Habsburgerreichs durch Karl V. an seinen Sohn (und Nachfolger als König von Spanien) Philipp II. (1527–1598). Die Feierlichkeiten fanden 1555 in Brüssel statt. Helmut Sembdner weist in seinen Erläuterungen zu dem Lustspiel darauf hin, dass sich Kleist für die Schilderung Frau Marthens auf »die aus dem Holländischen übersetzte ›Allgemeine Geschichte der Vereinigten Niederlande‹, 8 Bde., Leipzig 1756 – 66«, gestützt habe. »Der anonyme Verfasser war Jan Wagenaar, der [...] in Bd. 2, S. 557–559, berichtet:« »Am 25sten des Weinmonats, als dem zu der feierlichen Abdankung bestimmten Tage, kamen die Ritter des goldenen Vließes [also alle Träger dieses hohen Verdienstordens] und die Gevollmächtigten [Bevollmächtigten, Vertreter] der Stände, in großer Zahl auf dem Hofe zu Brüssel zusammen. Um dieser feierlichen Handlung einen größeren Glanz zu geben, hatte der Kaiser [Karl V.] dazu auch seines Bruders Sohn Maximilian, König von Böhmen, und dessen Gemahlinn [sic] Maria, des Kaisers Tochter, den Herzog von Savoyen, Emanuel Philibert, des Kaisers Schwester Eleonore, verwitwete Königinn von Frankreich, und die Oberstatthalterinn Maria, verwitwete Königinn von Ungarn [...] eingeladen. [...] Als der Kaiser ausgeredet hatte, fiel Philipp auf das eine Knie, und bat seinen Vater, dessen Hand er herzlich druckte [sic], um seinen Segen. Er empfing denselben mit heißen Thränen, und die Anwesenden wurden dadurch auch zum Weinen gezwungen. Philipp stund sodann auf, [...] und befahl dem Bischofe von

Arras, Anton Perenot, in seinem Namen das Wort zu führen.« (Aus bzw. zitiert nach: ED Sembdner, S. 20 f.; vgl. auch die Erläuterungen zu Vers 1673 –»Als ob die Spanier …« – auf Seite 140)

S. 33 Der Franzen und der Ungarn Königinnen Die bereits in der vorigen Anmerkung erwähnten Schwestern Karls V.: Eleonore von Kastilien (1498–1558) hatte der französische König Franz I. (1494–1547) im Sommer 1530, einige Jahre nach dem Tod seiner ersten Frau Claude de France (1499–1524), geheiratet; die Ehe blieb kinderlos. Maria (1505–1558) war durch Geburt Prinzessin von Kastilien, Österreich sowie Burgund und wurde im Juli 1515, kurz vor ihrem zehnten Geburtstag, mit dem neunjährigen ungarischen Thronfolger verheiratet. Als dessen Vater 1516 starb, wurde sie an der Seite ihres Mannes, König Ludwig II., Königin von Ungarn und Böhmen. Luwig starb mit 20 Jahren nach einer verlorenen Schlacht gegen das Osmanische Reich. Auch die Ehe Marias blieb kinderlos. – Als Schwestern des Kaisers waren Eleonore und Maria Tanten (oder »Muhmen«, wie es in Vers 656 heißt) von Karls Sohn Philipp.

Philibert Emanuel Philibert von Savoyen war ein Enkel des portugiesischen Königs Manuel I. (1469 –1521), mit dem Karls Schwester Eleonore Eleonore von Kastilien (1498–1558) vor ihrer Ehe mit Franz I. von Frankreich verheiratet gewesen war. Ab 1553 war er Herzog von Savoyen. 1556 bis 1559 diente er Karl V. als Statthalter der Spanischen Niederlande.

Für den den Stoß der Kaiser aufgefangen »beim Zerbrechen des Kruges nämlich«, wie Sembdner kommentiert (ED Sembdner, S. 21)

Maximilian Karls 1527 in Wien geborenem Neffen Maximilian, dem späteren Kaiser Maximilian II. (1564–1576), wurde ein ausschweifender Lebenswandel nachgesagt (daher der Zusatz: »der Schlingel«).

mit der heilgen Mütze Gemeint ist wohl die ›Mitra‹, die »Kopfbedeckung hoher geistlicher Würdenträger« (DWDS).

Erzbischof von Arras Antoine Perrenot de Granvelle (1517–1586) war Bischof von Arras und ab 1560 Erzbischof von Mechelen. In seiner Rolle als einflussreicher politischer Berater Margarethes von Parma

Bildnis Kaiser Karls V. (1500–1558) von Christoph Amberger (1505–1562), entstanden um 1532. Öl auf Leinwand, 67,2 x 50,7 cm

(1522–1586) – einer unehelichen Tochters Karls V., die von ihrem Halbbruder Philipp II. 1559 als Statthalterin der Spanischen Niederlande eingesetzt worden war – war der Bischof im Volk so verhasst, dass er 1564 aus diesem politischen Amt abberufen wurde.

im Grunde im Hintergrund

Leibtrabanten Leibwächter

Hellebarden im Mittelalter aufgekommene Hieb- und Stoßwaffen, »die aus einem etwa zwei Meter langen Holzschaft, einer scharfen Spitze und einer beilähnlichen Klinge mit Haken am vorderen Ende« bestanden (DWDS)

Spießen ab dem Mittelalter gebräuchliche Waffen »aus einem langen Schaft und einer meist rhombusförmigen Spitze zum Stoßen und Werfen« (DWDS)

vom großen Markt zu Brüssel Der Festakt fand 1555 nicht auf dem Marktplatz von Brüssel, sondern im großen Saal des Schlosses statt.

Die holländische Originalausgabe von Jan Wagenaars Geschichtswerk, das Kleist als Quelle diente, enthält im fünften Band einen Kupferstich, der die Szene zeigt.

das zerscherbte Paktum den damals (1555) in Brüssel geschlossenen Vertrag (Pakt), der – beziehungsweise: dessen Darstellung auf der Außenseite des Kruges – nun in Stücke gegangen ist

Childerich ein alter germanischer Name, den Kleist auch in seinem 1808 verfassten Drama »Die Hermannsschlacht« verwendete

Kesselflicker ein Handwerker, der »schadhafte Kessel ausbessert« (Adelung, Grammatisch-kritisches Wörterbuch)

als Oranien / Briel mit den Wassergeusen überrumpelte Als ›Geusen‹ oder niederländisch ›geuzen‹ – abgeleitet vom französischen Wort für ›Bettler‹: ›gueux‹ – bezeichneten sich die Aufständischen gegen die spanische Vorherrschaft zu Beginn des Achtzigjährigen Krieges (1568–1648), in dem die Niederländer ihre Unabhängigkeit erkämpften. In den ersten Jahren dieses langen Befreiungskriegs »rüsteten viele aus Holland geflüchtete Edelleute und Kaufleute Kaperschiffe aus, die auf spanische Schiffe Jagd machten, und teilten sich die Gewinne mit den Besatzungen. [...] Ohne Bestallung wurden diese Kaperfahrer jedoch als vogelfreie Seeräuber behandelt, bis Wilhelm von Oranien sich mit ihnen verbündete. Er gab den Schiffern Kaperbriefe und ernannte Wilhelm II. von der Mark zum Admiral des nunmehr Wassergeusen genannten Teils der Widerstandsbewegung. Im Namen von Wilhelm von Oranien, der zu dieser Zeit in London im Exil lebte, eroberten die Wassergeusen unter Von der Mark, Willem Bloys van Treslong und Lenaert Jansz de Graeff am 1. April 1572 die Stadt Brielle (Den Briel) an der Mündung der Maas, und bald folgten weitere eroberte Städte. Die lateinische Inschrift im Wappen von Brielle erinnert noch daran: ›Libertatis Primitiae‹ (Die zuerst Befreite).« (Wikipedia-Artikel »Geusen«, Zugriff: 27.7.2023)

Just Eben gerade

S. 34 Tirlemont Tirlemont ist der französische Name der in der Region

Illustration von Adolph Menzel (siehe Seite 86) zum siebenten Auftritt (Mitte)

Flandern gelegenen belgischen Stadt Tienen, die 1635 von den Franzosen eingenommen wurde.

Feuersbrunst von sechsundsechzig Auf welche Feuersbrunst sich Frau Marthe hier bezieht, ist unklar.

Gott hab ihn selig nachgestellter Einschub zu einer verstorbenen Person mit der Bedeutung: Er oder sie möge in Frieden ruhen.

Weib! hier: ungehaltene Anrede an eine weibliche Person, jedoch nicht ganz zu grob, wie sie für heutige Ohren klingt

S. 35 Für eines … schlecht Frau Marthe beteuert die Kostbarkeit des fein gearbeiteten Kruges, den auch ein adliges Fräulein und selbst die Erbstatthalterin – also eine Dame aus den allerhöchsten Kreisen wie Margarethe von Parma (siehe Seite 120 unten: ›Erzbischof von Arras‹) – ohne Bedenken an die Lippe hätte setzen können, um daraus zu trinken.

Fräulein »Ein Ehrennahme unverheirateter adeliger Frauenzimmer; für das veraltete Edeljungfer. Das Fräulein von Hohendorf. Im gemeinen Leben, besonders Niedersachsens, ist es sehr gewöhnlich, diesen Ehrennahmen im weiblichen Geschlechte zu gebrauchen, die Fräulein« (Adelung, Grammatisch-kritisches Wörterbuch).

S. 36 zehn Arme … ausgerüstet Vielleicht in Anspielung auf Gestalten der nordischen Mythologie bringt Frau Marthe bildhaft zum Ausdruck, dass sie in ihrem gerechten Zorn Riesenkräfte in sich gespürt und jeder der »zehn Arme« sich so gefährlich und aggressiv wie ein Geier angefühlt habe.

S. 37 Aufs Rad Aufs Rad geflochten (eine besonders grausame Hinrichtungsart, bei der der Delinquent auf ein Wagenrad gebunden wurde, woraufhin ihm die Knochen zerschlagen wurden und er in dieser qualvollen Stellung belassen wurde, bis der Tod eintrat)

faule Fische dem »Deutschen Wörterbuch« von Jacob und Wilhelm Grimm zufolge »abgestandne, untaugende, erdichtete Nachrichten, erlogne Entschuldigungen«

S. 38 Dirne »Eine junge unverheiratete Person des andern [weiblichen] Geschlechtes. In dieser Bedeutung war dieses Wort ehedem in edlem Verstande üblich […]. Heutzutage ist es […] im Hochdeutschen beinahe veraltet, und man nennet in Niedersachsen nur noch die ledigen Weibespersonen gemeiner Leute Dirnen.« (Adelung, Grammatisch-kritisches Wörterbuch)

S. 39 Wie unbefangen! Wie leichthin (offen, ungeniert) Ihr Eure Unkenntnis der korrekten Verfahrensweise einräumt!

pipsge »den Pips habend[e]« (Duden) (siehe Vers 560)

Pest Hühnerpest, eine meist tödlich verlaufende Krankheit von Geflügeltieren

Schluckt … die Pille nicht herunter siehe die Erläuterung zu ›nudeln‹ auf Seite 118

das Aas das Mistvieh; »das widerspenstige[ ] [Haus]tier« (Duden)

Veits des Kossäten Sohn der Sohn des Kleinbauern (oder auch: Tagelöhners) Veit

dort dort hinten an seinem Platz im Saal

S. 40 gottvergessner entweder: »nicht mehr an Gott denkend[er], sodass man den Maßstab für sein moralisches Verhalten verloren hat«; oder, umgangssprachlich: »gottverlassen[er]« (Duden)

Die würdige Frau Marthe, die. Anrede der offenbar zum Aufbrausen ansetzenden Frau, um sie zu bremsen

Es wird sich finden. Die Wahrheit wird schon noch (oder: bald) ans Licht kommen.

Soll ich als Christ – ? zu ergänzen wäre etwa: … mich nicht um meinen Nächsten kümmern?

nicht zu dulden völlig inakzeptabel (wie Ihr die Sache handhabt)

mogt' es etwa sein zu Nacht mochte es etwa (gewesen) sein am Abend

heuren eigentlich »mieten, pachten, von Grundstücken« (Adelung, Grammatisch-kritisches Wörterbuch); hier: heiraten (zusammengezogen aus ›heuraten‹)

rüstig »gesunde Kräfte habend, und solches durch Stärke und Hurtigkeit an den Tag legend« (Adelung, Grammatisch-kritisches Wörterbuch)

S. 41 man flog, als wie gemaust mal nur so flog, als würde es heimlich weggestohlen

gakelst kakelst, für belangloses Zeug schwatzest

Steig eigentlich: ein schmaler Weg; hier wohl spezifischer ein Brückensteg, der über einen Bach führt

Die liederliche Wirtschaft, die. Was für ein nachlässiges Hauswesen!

wie der Dom zu Utrecht wie der säuleneingefasste Innenraum des Utrechter Doms

S. 42 schelte sie … / Für blind beschimpfe sie, als sie zu mir zurückkehren, als blinde Werkzeuge

nichtswürdige verachtungswürdige, gemeine

Aufhetzer Aufrührer, Aufwiegler, Hassredner

Ohrenbläser »eine Person, welche das Gehör eines andern zum Nachteile eines Dritten missbraucht, demselben nachteilige Dinge [...] zuträgt« (Adelung, Grammatisch-kritisches Wörterbuch)

weil sie ihre Pflicht getan weil sie nichts als ihre Pflicht getan (und dafür so gescholten worden sind)

Latz Bei Frauen »ist der Latz ein oben breites und unten spitzig zulaufendes, oft zierlich gesticktes oder besetztes Bruststück, welches vorn über die Schnürbrust gesteckt wird.« »Das Schnürleib« wiederum ist ein »enges nach dem Leibe gemachtes Kleidungsstück des andern [weiblichen] Geschlechtes, welches mit Fischbein ausgesteifet ist, nur den Oberleib bis an die Brust bedeckt, und entweder auf dem Rücken oder auch vorn zugeschnüret wird; Nieders. das Brustleib. Die Schnürbrust ist weit mehr ausgesteift und an der Brust mehr gewölbet.« (Adelung, Grammatisch-kritisches Wörterbuch)

einer ist's noch obenein noch ein anderer ist da

Und nicht gefangen, denk ich, nicht gehangen. Anspielung auf das Sprichwort ›mitgefangen, mitgehangen‹ (wer mit dabei war, muss die Sache auch mit ausbaden)

Ich kann das Abendmahl darauf nicht nehmen Anspielung auf eine im Mittelalter praktizierte Form des Gottesurteils, bei dem der Kläger eine geweihte Hostie in den Mund nahm, an der er beim Hinunterschlucken ersticken sollte, wenn er gelogen hatte

alle Katzen grau vgl. das Sprichwort ›nachts sind alle Katzen grau‹, das auf den berühmten Roman »Don Quijote« (zwei Bände, 1605 und 1615) von Miguel de Cervantes (1547–1616) zurückgeht

Flickschuster »(umgangssprachlich, abwertend) Schuster, der besonders Flickarbeiten ausführt« (DWDS)

losgesprochen hier wohl: nicht die Entlassung, sondern die Befreiung vom Militärdienst

längst mir auf die Fährte ging schon seit Langem, wie mir schien, nachstellte

du schierst mich du willst mich (gegen ihn) aufhetzen

S. 43 Nun schießt ... das Blatt mir. Redensart, die Erregung oder Empörung zum Ausdruck bringt.

Da ich ... das Pärchen hier begegne Das Verb ›begegnen‹ wurde zur damaligen Zeit nicht selten in Verbindung mit dem Akkusativ verwendet.

die Hirschgeweihe Anspielung auf die Redewendung ›jemandem Hörner aufsetzen‹ (untreu sein)

Taxus (lat.) Eibe. Eibengewächse (Taxaceae) sind Sträucher oder kleine Bäume.

Gefispre Gewisper; unablässiges eifriges Flüstern

ich soll vor Lust – zu ergänzen wäre vielleicht: ›bersten‹

Dir weis ich ... / Die Zähne redensartlich für: Mit dir rechne ich noch ab! (Du bekommst, wenn sich eine Gelegenheit ergibt, schon noch meine Zähne zu spüren!)

wo mir / Die Haare wachsen Anspielung auf die Redensart ›Haare auf den Zähnen haben‹, die auf das Vorurteil zurückgeht, stark behaarte Menschen seien besonders durchsetzungsstark

ausgedacht ganz zu Ende gedacht, mir vollständig ausgemalt habe

vor dem Pastor ironisch: noch vor der Trauung durch den Pastor

Jetzt hebt sich's wohl: Nun spannt sich (schmerzhaft) meine Brust

Blutsturz »ein heftiger Auswurf vielen Geblütes aus der Lunge, ein heftiges Blutspeien« (Adelung, Grammatisch-kritisches Wörterbuch)

S. 44 Brustlatz »ein kurzes Kleid ohne Ärmel, welches bis auf die Hüften gehet, und von beiden Geschlechtern gemeiniglich über dem Unterhemde getragen wird« (Adelung, Grammatisch-kritisches Wörterbuch)

Illustration von Adolph Menzel (siehe Seite 86) zum siebenten Auftritt

S. 47 den sie zu Wasser trug Anspielung auf das (oft auf Untreue angewandte) Sprichwort ›Der Krug geht so lange zu Wasser, bis er bricht.‹

S. 49 Ihr greift … in einen Sack voll Erbsen. heute nicht mehr gängige Redewendung: Ihr urteilt vollkommen willkürlich (ganz unsystematisch sowie offenbar nur den eigenen Augenblickseingebungen und persönlichen Interessen folgend).

wenn Ihr's herausbekommt, bin ich ein Schuft doppeldeutig und unfreiwillig entlarvend, also eine sogenannte ›Freud'sche Fehlleistung‹ (auch ›Freud'scher Versprecher‹): Adam will durch starke Worte zum Ausdruck bringen, dass er davon überzeugt ist, die Sache werde sich nicht zweifelsfrei klären lassen, deutet aber durch seine Formulierung bereits an, dass er der Täter ist.

gib ihm was von der Wahrheit ebenfalls eine verräterische Formulie-

Illustration von Adolph Menzel (siehe Seite 86) zum Ende des siebenten Auftritts

rung, die den Schluss zulässt, Adam sei durchaus nicht daran interessiert, dass die Zeugin die ganze Wahrheit preisgibt, wie es vor Gericht geboten ist (nach der bekannten Eidesformel »die Wahrheit, die ganze Wahrheit und nichts als die Wahrheit«).

S. 50 ich bin kein ehrlicher Kerl, / Es wird sich alles, wie du's wünschest finden. Ähnlich wie oben: Ich will mich einen unehrlichen Kerl nennen lassen, wenn sich nicht alles so, wie du es dir wünschst, wird einrenken lassen.

trätschen Variante von ›tratschen‹: gehässig über jemanden reden, etwas Vertrauliches verraten, jemanden verpetzen

die weißen Wände zeugen nicht Gemeint ist wohl: Eine nackte Wand verrät nichts (wenn niemand da war, der deine Aussage bestätigen kann, kannst du leicht in Schwierigkeiten geraten).

Illustration von Adolph Menzel (siehe Seite 86) zum Ende des achten Auftritts

Der auch wird zu verteidigen sich wissen Das Pronomen »Der« bezieht sich wohl auf den »andern«, »Dritten«, von dem oben in den Versen 1110 und 1111 die Rede ist.
deinen Ruprecht holt die Schwerenot! Verwünschungsformel; ursprünglich eine »verhüllende Bezeichnung der als Behexung angesehenen Epilepsie« (Duden), der »Fallsucht«
gehauen nicht und nicht gestochen eine heute nicht mehr gebräuchliche Redewendung, die dem Kontext der Fechtkunst (mit ihren Formen Hieb und Stich) entstammt und etwas Unbestimmtes, eine uneindeutige Situation anzeigt (vgl. auch die heute noch verwendete sprachliche Formel, eine Sache sei ›hieb- und stichfest‹, also unwiderlegbar)
zulängst hier auf dem Stuhl gesprochen die längste Zeit hier auf dem

Illustration von Adolph Menzel (siehe Seite 86) zum Beginn des neunten Auftritts

Richterstuhl gesessen und Recht gesprochen (und werdet bald Eures Amtes enthoben werden)

Dreist Kühn, ohne Umschweife. »Im Hochdeutschen gebraucht man dieses Wort am häufigsten noch von dem beherzten Betragen in dem gesellschaftlichen Umgange, welches aus einem guten Vertrauen auf sich selbst herrühret« (Adelung, Grammatisch-kritisches Wörterbuch).

mucks mucksen: »sich durch einen Laut oder eine Bewegung bemerkbar machen«; aber auch: »Widerspruch erheben, aufbegehren« (Duden)

S. 51 ich kehr im Grab mich um Die Redewendung ›sich im Grabe umkehren‹ ist heute noch gebräuchlich. Sie wird gewöhnlich im Konjunktiv verwendet (›der oder jene würde sich im Grabe umkehren‹)

und bezeichnet eine Situation, die so viel Entrüstung hervorruft, dass sie selbst einer oder einem Toten im Grabe keine Ruhe ließe.

nach dem vierten / Gebot »Du sollst deinen Vater und deine Mutter ehren, auf dass du lange lebest in dem Lande, das dir der HERR, dein Gott, geben wird.« (2. Mose 20,12, Lutherbibel 2017)

S. 52 wenn wir auferstehn ist auch ein Tag Gemeint ist: Auch im Jenseits (nach dem ›Jüngsten Gericht‹ und der »Auferstehung der Toten«, wie es im Apostolischen Glaubensbekenntnis heißt) kann sich noch ihre Unschuld erweisen und können wir miteinander glücklich werden.

des Todes will ich ewig sterben ich will auf ewige Zeiten verdammt sein (als Sünderin in der Hölle schmoren)

S. 53 Hat Sie das Licht dabei gehalten heute nicht mehr geläufige Redewendung mit der Bedeutung: Kupplerdienste leisten; oder auch allgemeiner: bei Untaten behilflich sein

S. 54 vor die Kommission, / … die die Rekruten aushebt zu dem Ausschuss von Militärpersonen, … die entscheiden, ob die von ihnen vorgeladenen jungen Männer zum Militär eingezogen werden

Mit dem Attest Mit der Bescheinigung, die dem krummbeinigen (vgl. Vers 1227) Lebrecht seine Untauglichkeit für den Militärdienst attestierte

auf ein Fuhrwerk sich nicht lud nicht das Glück hatte, auf einem Wagen mit Zugtieren mitfahren zu können

zurückgehaspelt (abwertend) ist … zurückgehumpelt. »Von jemande[m], der sich sehr geschwinde beweget, ingleichen sehr geschwinde plaudert, sagt man in Niedersachsen, er haspele [vgl. den heute noch geläufigen Ausdruck, jemand habe sich ›verhaspelt‹], so wie man auch in Obersachsen die kreisförmige Bewegung der Füße im Gehen haspeln nennet.« (Adelung, Grammatisch-kritisches Wörterbuch). Eine Haspel ist ein kleines Gerät zum Aufwinden, beispielsweise von Garn.

von ungespaltnem Leibe ohne Beine; ein von der Hüfte abwärts amputierter Krüppel; gleichsam das Gegenstück zu einem »weit gespaltene[n] Herr[n]«, einem »Herr[n] mit den langen Beinen« (Adelung, Grammatisch-kritisches Wörterbuch)

Hierauf … dienen. Dazu wird die Jungfer kaum in der Lage sein.

gefirmelt kaum Als Fortführung der Taufe und der Erstkommunion bildet der feierliche Akt der Firmung, der meist im Jugendalter stattfindet, in der katholischen Kirche den letzten Akt der Aufnahme in die Glaubensgemeinschaft als deren vollwertiges Mitglied. Die evangelischen Kirchen haben in der Konfirmation ein vergleichbares Aufnahmeritual.

S. 55 Mit jedem andern Zuge … eigen In jedem andern Aspekt, ist allein meine Sache

Garnstück »bei den Spinnerinnen und Webern eine Anzahl Fäden gesponnenen Garnes« (Adelung, Grammatisch-kritisches Wörterbuch)

Die Jungfer weiß, wo unsre Zäume hängen. eine schon damals seltene Redensart, die Adelung zufolge zum Ausdruck bringt, dass man in einer bestimmten Sache bewandert ist, sich genau auskennt

S. 56 Wenn ich gleich Auch wenn ich

Erkleckliches »Ansehnliches, der Zahl und Summe nach« (Adelung, Grammatisch-kritisches Wörterbuch)

aufbring beisteuern kann

der Schlag der Schlaganfall; »der Schlagfluss«, »ein plötzlicher und oft tödlicher Verlust der innern und äußern Sinne und der willkürlichen [bewusst gesteuerten] Bewegung der Muskeln, wobei, wenn der Kranke nicht sogleich tot bleibt, der Puls stark und oft ungleich, das Atemhohlen aber mit einem Geräusche vor sich gehet; Apoplexia, der Schlag. Einen Schlagfluss bekommen.« »Von dem Schlage gerühret […] werden. Der halbe Schlag, die Lähmung auf einer Seite.« (Adelung, Grammatisch-kritisches Wörterbuch)

ein verlorner Mensch ein »im höchsten Grade und ohne Rettung unglücklich[er]« (verzweifelter, zum Beispiel in unlösbare Schuld verstrickter) Mensch. »Ein verlorner Mensch, dem nicht mehr zu helfen ist.« (Adelung, Grammatisch-kritisches Wörterbuch)

vor der Welt vor aller Welt, in der Öffentlichkeit

Den Meineid Eine vorsätzliche Falschaussage

Pranger »ein Pfahl, eine Säule oder auch ein jeder Ort, an welchem die Missetäter zur öffentlichen Schau und Schande ausgestellet werden. Am Pranger stehen. An den Pranger gestellet werden. Weil der Verbrecher gemeiniglich vermittelst eines eisernen Bandes um den Hals daselbst befestiget wird, so wird er auch das Halseisen genannt.« (Adelung, Grammatisch-kritisches Wörterbuch)

Wär ... gegründet Gäbe es begründete (eindeutige) Anzeichen dafür

überall überhaupt

säumt' zögerte; wartete ... ab

zur ersten Einrichtung wohl bitter-ironisch: damit sie in der Fremde nicht ganz ohne Mobiliar dastehe

kommt Zeit, kommt Rat Redewendung (hier bitter-sarkastisch): Mit etwas Geduld findet sich für jede noch so üble Lage eine Lösung.

weigert verweigert

es kurzhin abzuschwören die Sache beiläufig (leichthin) zu bestreiten

Konskription Aushebung (frischer Rekruten), »Einziehung zum Heeresdienst« (DWDS) (von lat. ›conscriptio‹: ›Liste‹)

Eid zur Fahn Fahneneid (militärisches Aufnahmeritual)

S. 57 Die jungen Landessöhne reißen aus. Die jungen Männer des Landes versuchen sich dem nach Möglichkeit durch Flucht zu entziehen.

Gesetzt Angenommen

Kist' und Kasten formelhaft für ›Truhen und Schränke‹. (Im Österreichischen und Schweizerischen bezeichnet ›Kasten‹ auch heute noch einen Schrank.)

ein wenig sich gesperrt nicht gleich eingewilligt, Bedenken geäußert, etwas Widerstand geleistet

ohngefähr damals verbreitete Variante von ›ungefähr‹

Das Rabenaas »ein nur in den niedrigen Sprecharten übliches Schimpfwort, einer höchst strafbaren oder lasterhaften Person, welche gleichsam verdienet, den Raben zur Speise zu werden« (Adelung, Grammatisch-kritisches Wörterbuch)

austreten desertieren
im Hause untersuchen wohl: untersuchen, was im Hause vorgefallen ist
eine Zunge, die mir Zeugnis redet eine Person, die meine Darstellung bestätigt
von fern geahndet nur auch nur von fern geahnt hätte (siehe auch Vers 265)
dass diese / Die ihrige für mich nicht brauchen würde dass diese Person hier (nämlich Eve, ihre Tochter) sich weigern würde, meine Darstellung zu bestätigen
ihm die seine
Muhm (siehe Vers 261)
Wortwechselnd im Wortwechsel, im Gespräch
getroffen angetroffen
die Fabel die »erdichtete Erzählung«, das »Märchen« (Adelung, Grammatisch-kritisches Wörterbuch)
aufgestellt hier präsentiert hat
Vom Kopf zu Fuß Von Kopf bis Fuß: der Länge nach; vollständig
einzusehn festzustellen, zu schlussfolgern

S. 58 **scharwenzt'** scharwenztest; ›scharwenzen‹ ist eine ältere Variante von ›scharwenzeln‹: »sich in jemandes Nähe zu schaffen machen und dabei immer bereit sein, übertrieben [...] eilfertig seine Dienste anzubieten, um sich dadurch einzuschmeicheln« (Duden)
die saubre Jungfer Eve dort »unbefleckt, im moralischen Verstande; eine nur im Niederdeutschen übliche Benennung, wo eine saubere Jungfer eine reine Jungfer, sauberes Gold, reines, unvermischtes Gold ist. [...] Nach einer gewöhnlichen Ironie bezeichnet es zuweilen auch den Gegensatz, und wird alsdann ironisch überhaupt von Dingen gebraucht, welche die gehörige Beschaffenheit nicht haben. Ein sauberer Vogel, ein leichtfertiger, ausschweifender, lasterhafter Mensch. Das ist mein sauberer Sohn, mein ungeratener.« (Adelung, Grammatisch-kritisches Wörterbuch)

S. 62 **Imbiss** »ein nur in den gemeinen Mundarten Ober- und Niederdeutschlandes übliches Wort, teils eine jede Mahlzeit, teils aber auch in engerer Bedeutung ein Frühstück zu bezeichnen« (Adelung, Grammatisch-kritisches Wörterbuch)

S. 63 weiß, von Damast, aufgedeckt nimm eine gute weiße damastne Tischdecke. Damast ist »ein seidenes, wollenes oder leinenes Gewebe, mit einem glatten Boden, in welchem verschiedene etwas erhabene Figuren eingewirket worden« (Adelung, Grammatisch-kritisches Wörterbuch); eine »Gewebeart«, welche »im Mittelalter aus Damaskus«, der Hauptstadt des heutigen Syrien, »nach Europa« gelangt war (DWDS).

uns verrufnen hagestolzen Leuten uns oft geschmähten Junggesellen; einen Hagestolz nannte man »ein[en] alte[n] Junggesell[en], eine Person männlichen Geschlechtes, welche funfzig Jahre alt ist und noch nicht geheiratet hat, da sie doch könnte«. Die Bezeichnung ging nach verbreiteter Meinung darauf zurück, dass »Hagestolzen [...] auf ihren Hag, oder Hof, stolz sind« (Adelung, Grammatisch-kritisches Wörterbuch).

S. 64 Strauchwerk, für Seidenwürmer Sembdner kommentiert: »zur Seidenraupenzucht benötigtes trockenes Gesträuch, an dem die Raupen ihre Kokons befestigen« (ED Sembdner, S. 36; vgl. auch den Artikel »Seidenspinner« bei Wikipedia)

S. 65 Sodom und Gomorrha die beiden Städte im Alten Testament, die Gott wegen der beharrlichen Lasterhaftigkeit ihrer Einwohner durch einen Feuer- und Schwefelregen vernichtet (vgl. 1. Buch Mose 18 und 19)

Niersteiner ... Oppenheimer Qualitätsweine aus Rheinhessen

prüft' ihn ... an der Kelter vermutlich: hatte ... Gelegenheit, ihn bei einer direkt an der Weinpresse stattfindenden Weinprobe zu kosten

S. 66 die ganze, wohlerwogene / Gelegenheit sehr ungeschickt zum Springen das Ganze baulich durchaus mit Absicht so angelegt, dass ein schneller Sprung ins Freie nicht so leicht möglich ist

ein gewaffneter ein mit Hauern – »aus dem Unterkiefer seitlich der Schnauze« hervorstehenden Eckzähnen (Duden) – versehener

Illustration von Adolph Menzel (siehe Seite 86) zum Beginn des zehnten Auftritts

Pythagoreer-Regel »angeblich auf die Pythagoreische Schule« – den Philosophen und Mathematiker aus der Zeit der griechischen Antike Pythagoras (um 570 bis um 510 v. Chr.) und seine Schüler – »zurückgehende Zahlensymbolik, nach der ›eins‹ den Weltenschöpfer, ›zwei‹ die chaotische Materie und ›drei‹ den Kosmos bedeuten« (ED Sembdner, S. 36)

S. 67 gestrenger Variante zu ›strenger‹: »In engerer Bedeutung, pünktlich auf die möglichste Erfüllung der Pflichten dringend, und ihre Übertretung mit der pünktlichsten Beobachtung [der genausten Anwendung] der Gesetze bestrafend; im gemeinen [alltäglichen] Leben auch scharf, im Gegensatze des gelinde. Ein strenger Herr.« (Adelung, Grammatisch-kritisches Wörterbuch)

S. 68 Vetter »ein männlicher Verwandtschaftsname, mit welchem man sowohl den Vater- und Mutterbruder, als auch Geschwisterkinder männlichen Geschlechtes zu bezeichnen pfleget, so dass dieses Wort mit dem weiblichen Verwandtschaftsnahmen Muhme übereinkommt. [...] In weiterer und vermutlich eigentlicher Bedeutung, werden alle nahe Verwandte männlichen Geschlechtes, für welche man keine besondern Namen hat, auch in entferntern Graden Vettern genannt, welche Bedeutung nicht allein im gemeinen Leben sehr häufig ist, sondern auch in der Deutschen Bibel vorkommt. [...] Ein weitläufiger Vetter, ein naher Vetter.« (Adelung, Grammatisch-kritisches Wörterbuch)

Nelken Die Nelke ist eine »(in zahlreichen Arten vorkommende) Pflanze mit schmalen Blättern an knotigen Stängeln und würzig duftenden Blüten mit gefransten oder geschlitzten Blütenblättern (von weißer bis tiefroter Farbe)« (Duden).

Aurikeln Die Aurikel ist eine »zu den Primeln gehörende Pflanze mit glatten, fleischigen Blättern und leuchtend gelben Blüten; Schlüsselblume« (Duden).

S. 70 **Dreh du mir deine Pille ordentlich** wieder eine doppelsinnige Äußerung Adams zur Beeinflussung der Zeugin: Vordergründig bezieht sie sich auf das ›Nudeln‹ des erkrankten Perlhuhns (vgl. die Erläuterungen zu den Versen 560 und 843), im übertragenen und hier eigentlichen Sinn ist aber natürlich gemeint: ›Mach deine Sache ordentlich, erwähne nichts, was den Verdacht des Gerichtsrats wecken könnte, hier werde etwas unter den Teppich gekehrt.‹

sprech ich … / Auf ein Gericht Karauschen bei euch ein. besuche ich euch, um mit euch einige Karauschen zu verspeisen. Die Karausche ist »ein Fisch in süßen Wassern, welcher nach dem [Naturforscher] Linné zu den Karpfen gehöret; [...]. Er wird auf das Höchste einer guten Spanne lang, und einer guten Hand dick und breit.« (Adelung, Grammatisch-kritisches Wörterbuch)

Luder ein negativ konnotiertes Wort, das nach Adelung verschiedene Bedeutungen hat: ›Gaukler‹; ›untätiges, liederliches Leben‹ (ein ›Luderleben‹, ein ›Lotterleben‹); aber vor allem ›verwesendes Fleisch‹; weshalb ›das Luder‹ als Schimpfwort mit ›das Aas‹ so gut wie bedeutungsgleich ist.

Illustration von Adolph Menzel (siehe Seite 86) zum Beginn des elften Auftritts

S. 71 Frau Margrethe Rull vielleicht ein Versehen des Autors, da sonst immer nur von ›Frau Marthe Rull‹ die Rede ist; vielleicht ist ›Marthe‹ aber auch als Kurzform von ›Margrethe‹ zu verstehen.

S. 72 Verkappung Verstellung, List, Betrug. – ›Verkappen‹: »mit einer Kappe verhüllen, verbergen.« (Adelung, Grammatisch-kritisches Wörterbuch)

halt zu Gnaden Höflichkeitsfloskel mit der Bedeutung: wenn Sie (mir den Einwand) erlauben

Kindbett »sofern eine Mutter darin von einem Kinde entbunden wird, oder entbunden worden, das Wochenbett; [...] In das Kinderbett kommen, von einem Kinde entbunden werden. Im Kindbette liegen, vor [K]urze[m] entbunden sein. [...] Gemeiniglich werden die ersten sechs Wochen nach der Entbindung zum Kindbette gerechnet, daher diese Zeit auch die sechs Wochen genannt wird.« (Adelung, Grammatisch-kritisches Wörterbuch)

Als ob die Spanier im Lande wären Anspielung auf die Drangsalierungen, denen insbesondere Frauen in Kriegszeiten durch Mitglieder feindlicher Armeen ausgesetzt waren und sind. Die Niederländer hatten im 16. Jahrhundert schlimme Erfahrungen mit spanischer Soldateska gemacht: »Nach dem Tod Karls [Kaiser Karls V., der 1558 starb] fiel das Gebiet als Spanische Niederlande an die spanischen Habsburger. Unter Karls Sohn Philipp II. kam es von 1566 an zu einer Serie von Aufständen. Diese hatten religiöse, politische und wirtschaftliche Ursachen. Philipp II. entsandte den Herzog von Alba in die Niederlande und versuchte, den Aufstand zu unterdrücken. Doch diese harte Politik bewirkte das Gegenteil: 1572 schlugen sich fast alle Städte der Provinz Holland auf die Seite von Wilhelm von Oranien, der den Widerstand gegen Alba anführte. In den nächsten Jahren schlossen sich auch die anderen niederländischen Provinzen diesem Aufstand an.« (Wikipedia-Artikel Niederlande; Zugriff: 26.7.2023)

S. 73 So koch dir Tee. Redensart aus der Mark Brandenburg, Kleists Heimatregion: Mach doch, was du willst!

Pech und Haar und Schwefel ›Pech‹ ist »ein festes […] Fichten- oder Kieferharz, welches schwarzbraun von Farbe und fester als der Teer ist«, ›Schwefel‹ »ein brennbarer Körper, welcher […] einen unangenehmen erstickenden Dampf von sich gibt […] und gemeiniglich eine bleichgelbe Farbe hat« (Adelung, Grammatisch-kritisches Wörterbuch). ›Pech und Schwefel‹ steht für »eine untrennbare Einheit«, für eine »unseriöse, undurchsichtige Aura, die einen illegalen Hintergrund vermuten lässt«, sowie »metonymisch [in »verhüllend[er]« Rede] für »die Hölle; Verdammnis« (DWDS).

Gottseibeiuns »(veraltend, verhüllend) Teufel. Beispiele: der leibhaftige Gottseibeiuns; es ist der Gottseibeiuns selbst gewesen« (DWDS)

S. 75 in alle Welt überallhin

Schelm (siehe Vers 1205)
Verkappt des Teufels Art – ? Zur Tarnung die Gestalt des Teufels anzunehmen?
Waidmann Jäger (vgl. mittelhochdeutsch ›weideman‹: ›Jäger; Fischer‹)
als ich wie ich
Würdgen ehrenwerten Herrn
spart Eure Session spart Euch den Umstand einer gerichtlichen Untersuchung (Sitzung)
judiziert verurteilt (siehe die Erläuterung auf Seite 109 Mitte)
Der sitzt nicht schlechter Euch, als in der Hölle Den findet Ihr nirgendwo sonst als in der Hölle
präterpropter (lat., bildungssprachlich) etwa, ungefähr
ernsthaft ernst, ernster Natur zu sein
beißend scharf, ätzend, gehässig
Atheist Mensch, der die Existenz Gottes bestreitet oder zumindest bezweifelt
bündig wegbewiesen in knapper lückenloser Argumentation den Beweis seiner Nichtexistenz geführt
trage darauf an beantrage
ein Konklusum (lat.) einen Beschluss
Im Haag beim Sitz der (niederländischen) Regierung (Der oder Den Haag)
Synode beschlussfassende Versammlung hochrangiger Kirchenvertreter
Beelzebub »hebräischer Gott der bösen Geister; oberster Teufel« (DWDS)

S. 76 angeprellt »Figürlich, sich schnell und ungestüm nähern. Der Feind prallte plötzlich an.« (Adelung, Grammatisch-kritisches Wörterbuch)

S. 77 Ich will nicht ehrlich sein, / Wenn es nicht stinkt in der Registratur. Nennt mich einen Lügner, wenn mich mein Eindruck täuscht, dass aus der Registratur teuflische Dünste dringen (und zugleich, selbstentlarvend, im übertragenen Sinn: ... wenn in der Registratur nicht mancherlei faul ist)

Ich auch nicht. Ich stehe auch für nichts ein. (Ich bin weit davon entfernt, zu versprechen, dass meine Reaktion milde ausfallen wird.)

S. 79 Skrupel »Aus dem Latein. Scrupulus, ein Zweifel, eine Bedenklichkeit« (Adelung, Grammatisch-kritisches Wörterbuch)

Ein Bau, getürmter, strotzender von Talg Talg, also tierisches Fett von einiger Festigkeit, wurde verwendet, um Perücken zu kunstvoller Höhe aufzutürmen.

Domdechant »höherer katholischer Geistlicher, Vorsteher eines Kirchenbezirks« (Duden); »so wie Decan [Dekan], aus welchem Worte es auch entstanden ist. [...] Bei den Kathedral-Stiftern hat derselbe noch den Bischof über sich. Zum Unterschiede von andern Dechanten wird er auch Dom-Dechant genannt.« (Adelung, Grammatisch-kritisches Wörterbuch)

Den Honoratioren beizumischen Unter die angesehensten Bürger seines jeweiligen Aufenthaltsortes zu mischen

zieht Euch aus der Sache zieht Euch aus dieser Gerichtssache zurück (um den Schaden für das Ansehen des Gerichts zu begrenzen)

Es gilt / Mir Ehre oder Prostitution Hier geht es um meinen guten Ruf (darum, ob ich als Ehrenmann gelten kann oder mich als schändliche Person beschimpfen lassen muss)

S. 80 Bestie »[...] auch ein Schmähwort auf einen, unvernünftigen, grausamen und niedrigen Lastern ergebenen, Menschen« (Adelung, Grammatisch-kritisches Wörterbuch)

Heut streust du keinen Sand mir in die Augen. Die Äußerung ist sowohl buchstäblich – bezogen auf den Vorabend – als auch im übertragenen Sinne – bezogen auf die Gerichtsverhandlung – zu verstehen.

Habt Ihr nicht so viel Witz, Herr Richter – ? Ich hoffe, Ihr verfügt noch über so viel Verstand, um die Verhandlung abzuschließen?

S. 81 Racker »[...] oft ein Schimpfwort auf eine im höchsten Grade verächtliche oder hassenswürdige Person [...] beide[r] Geschlech-

Illustration von Adolph Menzel (siehe Seite 86) zum Ende des elften Auftritts

ter[] [...]. Es stammet [...] wohl [...] von dem noch im Nieder-Deutschen sehr gangbaren racken, unflätige Arbeit verrichten«, her (Adelung, Grammatisch-kritisches Wörterbuch).

Schmeiß ihn Schlag ihn; ›schmeißen‹: »Schlagen, in den niedrigen Sprecharten. Jemanden hinter die Ohren schmeißen. Das Pferd schmeißt hinten aus. Sich mit jemande[m] schmeißen.« (Adelung, Grammatisch-kritisches Wörterbuch)

S. 82 vertrackter ein Wort, »welches im gemeinen Leben und der vertraulichen Sprechart sehr häufig ist, und so wie verzweifelt gebraucht wird, d. i. im hohen Grade verworren, seltsam arg. Das ist

Illustration von Adolph Menzel (siehe Seite 86) zum Beginn des zwölften Auftritts

doch vertrackt! verzweifelt seltsam. Er fängt vertrackte Sachen an. Ein vertrackter Mensch.« (Adelung, Grammatisch-kritisches Wörterbuch)

Schlingel »ein im höchsten Grade träger und ungesitteter Mensch; nur von Personen männlichen Geschlechtes. Ein fauler Schlingel. Ein grober Schlingel.« (Adelung, Grammatisch-kritisches Wörterbuch)

S. 83 **Ei Gotts Blitz, alle Wetter** (siehe Vers 197 und Vers 758)

goldnes ›golden‹: »Prächtig, in der dichterischen Schreibart« (Adelung, Grammatisch-kritisches Wörterbuch)

dein Lebtag umgangssprachlich: dein ganzes Leben lang

Illustration von Adolph Menzel (siehe Seite 86) zum zwölften Auftritt (Mitte)

Illustration von Adolph Menzel (siehe Seite 86) zum Ende des zwölften Auftritts

Geht nach Ostindien Soll nach Ostindien verschifft werden, also in die niederländischen Kolonien im Malaiischen Archipel

Bantam früherer Name (heute: Banten) einer Provinz im Westen der Insel Java; in der gleichnamigen Hafenstadt befand sich bis 1810 eine bedeutende niederländische Handelsstation.

stille heimliche / Instruktion, die Landmiliz betreffend geheime Anweisung zum Einsatz der Landmiliz. Eine Miliz (von lat. ›militia‹: ›Gesamtheit der Soldaten‹; vgl. auch ›miles‹: ›Soldat‹) besteht aus im Schnellverfahren militärisch ausgebildeten Personen und wird im Normalfall nur zum Schutz der eigenen Heimat eingesetzt.

Ordre seinerzeit im militärischen und verwaltungstechnischen Jargon übliche französische Form von ›Order‹: »(militärischer, dienstlicher) Befehl; Anweisung« (Duden); bis heute im Duden enthalten

S. 84 Das aufgepflügte Winterfeld Das umbrochene, durch den Pflug aufgerissene und somit für den Fußgänger ausgesprochen unweg-

Illustration von Adolph Menzel (siehe Seite 86) zum letzten Auftritt

same Feld, auf dem in der Dreifelderwirtschaft (zu der noch das Sommerfeld und das Brachfeld gehören) das Wintergetreide angepflanzt wird

S. 85 Zur Desertion ihn zwingen will ich nicht. Nicht ganz eindeutig: Desertion ist bekanntlich ein militärischer Ausdruck und bedeutet Fahnenflucht, unerlaubtes Sichabsetzen von der Truppe, worauf schwerste Strafen stehen. Hier könnte angedeutet sein, dass der Dorfrichter zwar seines Amtes enthoben, aber nicht durch Furcht vor sehr harter Bestrafung zu verzweifelten Handlungen getrieben werden soll. Der Wirkungsabsicht der Komödie beziehungsweise des Lustspiels gemäß soll der Übeltäter blamiert, aber nicht gänzlich ruiniert werden. Am Horizont soll die Aussicht auf Vergebung und auf Reintegration in die Gesellschaft stehen.

Am großen Markt / … Session. Am großen Marktplatz, und Gerichtstage finden immer dienstags und freitags statt.

Auf die Woche stell ich dort mich ein. In einer Woche werde ich dort erscheinen (um mir mein Recht zu erstreiten).

»La Cruche cassée« (›Der zerbrochene Krug‹). Kupferstich des belgischen Radierers David Joseph Desvachez (1822 – 1902) nach dem gleichnamigen Ölgemälde von Jean-Baptiste Greuze (1725 – 1805) aus dem Jahre 1771

»Und da ich mir den Auftritt jetzt beleuchte, / Was find ich jetzt, Herr Richter, was jetzt find ich?« (V. 752 f.) Illustration von Adolph Menzel zum siebenten Auftritt

Karl Bauer (1868 – 1942): Heinrich von Kleist. Tusche gerandet.
Städtische Galerie im Lenbachhaus und Kunstbau München

Leben und Werk im Überblick

Frankfurt an der Oder, Berlin, 1777 – 1792

Bernd Heinrich Wilhelm von Kleist kommt am 10. Oktober (anderen Angaben zufolge am 18. Oktober) **1777** zur Welt. Der Vater Joachim Friedrich von Kleist (1728–1788) ist, wie so viele Kleists, Offizier in der preußischen Armee. Seine erste Frau Caroline Louise, geb. von Wulffen, war 1774 neunzehnjährig kurz nach der Geburt ihrer zweiten Tochter gestorben. Die zweite Ehefrau des Vaters, Juliane Ulrike (geb. von Pannwitz, 1746–1793), ist Kleists Mutter. Sie bringt außer dem ersten Sohn Heinrich noch die Kinder Friederike, Auguste, Leopold und Juliane zur Welt. Nur zu der 1774 geborenen Halbschwester Ulrike hat Kleist ein enges Verhältnis. Den ersten Unterricht erhält er durch einen Hauslehrer, Christian Ernst Martini. **1788** wird er zusammen mit zwei Vettern zur weiteren Ausbildung in die 80 Kilometer entfernte Hauptstadt Berlin geschickt, zunächst in eine Privatschule, dann ans Gymnasium der französisch-reformierten Gemeinde, das Collège François. Im Sommer des gleichen Jahres stirbt der Vater. Vermutlich kehrt Kleist unmittelbar darauf in seine Heimatstadt zurück. Die folgenden vier Jahre seiner Jugend liegen im Dunkeln.

Frankfurt an der Oder, Mainz, Potsdam, 1792 – 1799

Im Sommer **1792** wird Kleist konfirmiert und als Gefreiter-Korporal ins renommierte Regiment Garde aufgenommen. Im Februar **1793** stirbt die Mutter an einem ›Entzündungsfieber‹. Kleist nimmt mit seinem Regiment im Rahmen des Ersten Koalitionskrieges gegen das revolutionäre Frankreich an der Belagerung von Mainz (April bis Juli 1793) und im Herbst an Gefechten bei Pirmasens und Kaiserslautern teil. **1794** folgen weitere Kampfhandlungen. Im April **1795** schließt Preußen – zum Ärger seiner Verbündeten – in Basel einen Separatfrieden mit Frankreich. Elf Jahre lang wird es an seiner Neutralität festhalten und in einer Zeit, die für die übrigen deutschen Gebiete dramatische Umwälzungen mit sich bringt, eine Phase relativer Ruhe und Stabilität genießen. Das Regiment Garde kehrt in die Potsdamer Garnison zurück. Dort tut Kleist vier weitere Jahre Dienst, distanziert sich aber innerlich immer mehr vom Soldatenberuf. In Marie von Kleist (geb. Gualtieri, 1761–1831), einer angeheirateten Verwandten, findet er eine verständnisvolle Freundin, die neben der Halbschwester Ulrike zu seiner wichtigsten Vertrauten und Unterstützerin werden wird. **1795** und **1797** gewinnt er zwei enge Freunde: Otto August Rühle von Lilienstern (1780–1847), der es später bis zum Generalinspekteur des preußischen Militär- und Bildungswesens bringen wird, und Ernst von Pfuel (sprich: Pfuhl, 1779–1866), der im Herbst 1848 preußischer Ministerpräsident und Kriegsminister sein wird. Rühle und Kleist musizieren zusammen (Kleist spielt Klarinette) und bilden sich unter der Aufsicht des Konrektors der Großen Stadtschule von Potsdam Dr. Bauer in Mathematik und Philosophie weiter. Seinen Entschluss, das Militär zu verlassen, rechtfertigt Kleist in einem langen Brief an seinen ehemaligen Hauslehrer Martini vom März **1799**. Darin entwirft er einen »Lebensplan«, der ganz auf der aufklärerischen Idee der Selbstvervollkommnung beruht. Der König gewährt ihm den Abschied und stellt ihm eine spätere Verwendung als Zivilbeamter in Aussicht.

Frankfurt an der Oder, Berlin, 1799 – 1801

Im **Frühjahr 1799** nimmt Kleist sein Studium an der kleinen Universität seiner Heimatstadt auf. Er absolviert zunächst ein breit angelegtes Grundstudium, besucht Veranstaltungen in Mathematik, Physik, Naturrecht und Kulturgeschichte und nimmt Privatunterricht in Latein. Näheren Umgang mit seinen Kommilitonen vermeidet er. Dafür verkehrt er im benachbarten Haus des Generals von Zenge, der gerade erst als Chef der Garnison von Berlin nach Frankfurt versetzt worden ist, und verliebt sich in dessen älteste, knapp zwanzigjährige Tochter Wilhelmine. Nach einigem Zögern ihrerseits kommt es zur heimlichen Verlobung und Kleist unterwirft Wilhelmine, zweifellos in bester Absicht, einem umfassenden Erziehungsprogramm – er stellt ihr Aufsatzthemen und korrigiert ihre Ausarbeitungen –, um sie zu einem moralisch und geistig verfeinerten Menschen heranzubilden.

Mitte **1800**, nach gut einem Jahr, bricht Kleist sein Studium ab, nachdem er eingesehen hat, dass auch die Wissenschaften, die sich um 1800 in Spezialdisziplinen aufzuspalten beginnen, sein Bedürfnis nach umfassender Erkenntnis nicht befriedigen können. Er reist mit dem Freund Ludwig von Brockes, dessen menschliche Qualitäten er Wilhelmine gegenüber in für sie kränkender Weise überschwänglich preist, nach Würzburg, wovon er in zahlreichen langen Briefen berichtet. In diesen Briefen beginnt er sich zum Schriftsteller zu bilden. Um den Zweck der Reise macht er ein großes Geheimnis. Möglicherweise reiste er im Auftrag des preußischen ›Ministers für Zoll- und Wirtschaftsfragen und das Fabrikenwesen‹ Carl August von Struensee, um Industriespionage zu betreiben. Jedenfalls nimmt er **im Winter 1800 auf 1801** als Hospitant an den Sitzungen der Technischen Deputation in Berlin teil, die sich um die wirtschaftliche Entwicklung Preußens kümmert. Nebenher verfolgt er seine geistigen Interessen weiter und beschäftigt sich mit der erkenntniskritischen Philosophie Immanuel Kants. Dabei gelangt er zu der desillusionierenden Einsicht, dass die Erkenntnis von Wirklichkeit immer an das erkennende Subjekt gebunden ist, dass es keine absolute Wahrheit gibt.

Paris, Thun, Weimar, Dresden, Schweiz, Paris, Mainz, 1801–1804

Der Erkenntnisschock sitzt tief. Zugleich dient er aber auch als willkommener Vorwand, auch die reizlose Tätigkeit in der Technischen Deputation schnell wieder zu beenden. Kleist überredet seine Halbschwester Ulrike zu einer Reise über Dresden nach Paris, wo sie den Sommer über bleiben. Die kalte Anonymität der französischen Metropole stößt Kleist ab. Er stellt zivilisationskritische Beobachtungen an und beschließt, dem Rousseau'schen Ideal des unverfälschten natürlichen Lebens huldigend, die Schweiz aufzusuchen und dort ein Leben als Landwirt zu führen.

In der Schweiz angekommen, ändert Kleist seine Pläne und mietet ein Häuschen auf einer Insel im Thuner See, wo seine ersten größeren Dichtungen entstehen: ein an Shakespeares »Romeo und Julia« angelehntes Drama »Die Familie Schroffenstein« und eine groß angelegte historische Tragödie »Robert Guiskard«, die nie fertig werden wird. Auch der Plan zum Lustspiel »Der zerbrochne Krug« stammt aus dieser Zeit. Er bricht mit Wilhelmine, nachdem sie zuvor in ihren Briefen der Entscheidung, Kleists unsichere Existenz in der Fremde zu teilen, ängstlich ausgewichen ist. Im August **1802** erreicht die Verwandten ein Hilferuf Kleists: Er liege seit Wochen krank und bitte um Geld aus seiner Erbschaft. Ulrike macht sich sofort auf den Weg. Als sie ankommt, ist Kleist schon wieder auf den Beinen. Die Schweizer Episode ist dennoch zu Ende. Im Herbst tritt er mit Ulrike und Ludwig Wieland, dem Sohn des berühmten Autors, die Heimreise an.

Den **Winter 1802/1803** verbringt Kleist zunächst in Weimar und dann auf dem nahe gelegenen Gut Christoph Martin Wielands, der ihn sonderbar findet, aber ins Herz schließt und drängt, seine Tragödie »Robert Guiskard« zu vollenden. Er ist davon überzeugt, dass Kleist ein größerer Dramatiker werden kann als Goethe und Schiller. Nach seiner Abreise wendet sich Kleist zunächst nach Leipzig, dann nach Dresden, wo er auf Ernst von Pfuel trifft. Er bemüht sich vergeblich, die Tragödie fertigzustellen. Pfuel steht ihm bei und reist mit ihm erneut in die Schweiz, nach Norditalien, dann nach Paris, doch Kleist verzweifelt immer mehr. In Paris zerstört er das unfertige Manuskript des Stücks, verlässt Pfuel und versucht, sich der napoleonischen Armee anzuschließen, die sich in Nordfrankreich zu einer Invasion Englands sammelt, um so den Tod zu finden. Der preußische Gesandte in Paris erfährt von dem Versuch, bestellt ihn zu sich ein, maßregelt ihn und schickt ihn nach Hause nach Preußen. Auf dem Heimweg erleidet er im **Dezember 1803** in Mainz einen gesundheitlichen Zusammenbruch. Der Arzt Dr. Georg Wedekind nimmt ihn für einige Monate in sein Haus auf und pflegt ihn gesund. Anfang **Januar 1804** wird »Die Familie Schroffenstein« in Graz uraufgeführt.

Berlin, Königsberg, Fort de Joux, Châlons-sur-Marne, 1804–1807

Im **Juni 1804** ist Kleist zurück in Berlin, wo ihm, nachdem er bei Hofe zunächst für sein Frankreich-Abenteuer abgekanzelt worden ist, eine Anstellung im Zivildienst in Aussicht gestellt wird. Januar bis April **1805** beginnt Kleist eine Ausbildung im Berliner Finanzdepartement. Ab Mai setzt er diese in Königsberg fort. In der zweiten Jahreshälfte häufen sich gesundheitliche Probleme. Ulrike zieht den Winter über zu ihm. Kleist verkehrt im Haus seiner ehemaligen Verlobten Wilhelmine; ihr Mann, der Philosoph Traugott Krug, hat ein Jahr zuvor an der Universität die Nachfolge des verstorbenen Kant angetreten.

1806 nimmt Kleist seine literarischen Projekte wieder auf. Er arbeitet an den Lustspielen »Der zerbrochne Krug« und »Amphitryon« (nach Molière) sowie möglicherweise auch schon an der langen Erzählung »Michael Kohlhaas«. Im Juni bittet er aufgrund anhaltender gesundheitlicher Probleme um einen sechsmonatigen Erholungsurlaub, der ihm gewährt wird. Im Oktober kommt es, nach einer überhasteten Kriegserklärung gegen das napoleonische Frankreich, bei Jena und Auerstedt zu einer vernichtenden Niederlage Preußens. Der Krieg ist damit sofort entschieden, auch wenn er sich noch Monate fortschleppt. Kleist reist **Anfang 1807** in das von den Franzosen besetzte Berlin, wo er als Spion verhaftet wird. Er wird nach Frankreich gebracht (zunächst in die Festung Fort de Joux bei Pontarlier, dann in das Kriegsgefangenenlager Châlons-sur-Marne) und kommt erst im **Juli 1807** frei, nach dem Friedensschluss von Tilsit, in dem Preußen mehr als die Hälfte seines Territoriums verliert.

Dresden, 1807–1808

Während der Kriegsgefangenschaft hat Kleist an »Penthesilea« gearbeitet, einer wild-hysterischen Liebestragödie vor dem Hintergrund des Trojanischen Krieges. Im Mai ist der »Amphitryon« erschienen. Rühle hatte den Publizisten Adam Müller (1779–1829) als Herausgeber gewonnen. Über Berlin reist Kleist nach Dresden, wo seine Freunde Rühle und Pfuel als Erzieher des Prinzen von Sachsen-Weimar tätig sind. Hier lernt er auch Adam Müller kennen. Er macht die Bekanntschaft kultivierter und einflussreicher Leute, die ihm wohlwollen. Mit Müller fasst er den Plan, eine Verlagsbuchhandlung zu gründen und eine anspruchsvolle Monatszeitschrift für Literatur und Kunst herauszugeben. Der erste Teil des Plans scheitert am Widerstand der Dresdner Buchhändler; die Zeitschrift »Phöbus« beginnt jedoch Anfang **1808** zu erscheinen. Da die erhofften prominenten Beiträger sich zurückhaltend zeigen, springt Kleist vielfach mit eigenen Arbeiten ein, was ihn um dringend benötigte Einnahmen bringt und zudem den Eindruck erweckt, er wolle sich in den Vordergrund spielen. Das Interesse des Publikums erlahmt rasch. Doch damit nicht genug: Im Frühjahr inszeniert Goethe in Weimar den »Zerbrochnen Krug«. Die Aufführung wird ein Misserfolg, wofür Kleist Goethe die Schuld gibt. Goethe erfährt davon und ist fortan schlecht auf Kleist zu sprechen.

Schillers Verleger Cotta bringt Kleists »Penthesilea« heraus. Kleist beendet zwei weitere Stücke: »Das Käthchen von Heilbronn«, ein romantisches Ritterstück, dessen Heldin wie ein Gegenentwurf zu »Penthesilea« wirkt, sowie ein patriotisches Agitationsstück, »Die Hermannsschlacht«, das in historischem Gewand zum bedingungslosen Widerstand gegen die französische Fremdherrschaft aufruft. Er beteiligt sich an konspirativen Aktivitäten zur Vorbereitung einer Volkserhebung gegen die Besatzungsmacht.

Dresden, Wien, Prag, Dresden und Berlin, 1809

Im **Frühjahr 1809** wird der »Phöbus« eingestellt. Nachdem Österreich Frankreich im April erneut den Krieg erklärt hat, setzt Kleist all seine Hoffnungen auf das Habsburgerreich als Motor einer gesamtdeutschen Befreiungsbewegung. Er geht mit dem jungen Historiker Friedrich Christoph Dahlmann über Wien nach Prag, um dort eine patriotische Zeitschrift »Germania« herauszugeben. Wiener Regierungskreise signalisieren ihre Unterstützung. Dann aber erleidet Österreich **Anfang Juli** bei Wagram eine schwere Niederlage und muss erneut Frieden mit Frankreich schließen. Kleists Zeitschriftenplan ist damit gestorben. Die nächsten Monate seines Lebens liegen im Dunkeln. Es kursieren Gerüchte, er sei in Prag gestorben. Im **Spätherbst** tauchen Kleist und Dahlmann dann aber wieder in Dresden auf. Kleist reist in seine Heimatstadt weiter und anschließend nach Berlin, wo er die restlichen zwei Jahre seines Lebens verbringt.

Berlin, 1810 – 1811

In Berlin bezieht Kleist ein bescheidenes Quartier in der Mauerstraße, in der auch Achim von Arnim und Clemens Brentano wohnen. Er schließt neue Bekanntschaften, etwa mit Joseph von Eichendorff und Rahel Levin. Seine Hoffnungen auf eine ehrenvolle Sicherung seiner Existenz als patriotischer Dichter durch das preußische Königshaus zerschlagen sich. Das der Geschichte Brandenburgs entnommene, aber frappierend unheldische Drama »Prinz Friedrich von Homburg« bleibt unaufgeführt. Im **September 1810** erscheinen im Verlag von Georg Andreas Reimer »Das Käthchen von Heilbronn« und ein Band »Erzählungen« (der »Michael Kohlhaas«, »Die Marquise von O...« und »Das Erdbeben in Chili« enthält). Kurz darauf nimmt Kleist sein letztes großes Projekt in Angriff: Ab **Oktober** gibt er – sehr schlicht, auf vier bis sechs Druckseiten – eine tägliche Zeitung heraus, die »Berliner Abendblätter«, die zunächst großen Anklang finden. Schon bald wird die Zeitung jedoch dem König und der Regierung unbequem. Die anfängliche Förderung des Projekts durch offizielle Stellen schlägt in Behinderung um. Unter diesen Umständen steht die Zeitung schon nach wenigen Monaten vor dem Aus. Kleist bemüht sich vergeblich, von der Regierung für angeblich nicht eingehaltene Zusagen entschädigt zu werden. Er vereinsamt mehr und mehr. Im **Spätsommer 1811** erscheint ein zweiter Band »Erzählungen«. Im Herbst beschließen Kleist und die krebskranke Henriette Vogel – eine verheiratete Frau und Mutter einer Tochter, in der er in seinen letzten Monaten eine Seelenfreundin findet –, gemeinsam zu sterben. Am **21. November** erschießt Kleist am Kleinen Wannsee bei Berlin zunächst Henriette Vogel und dann sich selbst.

Bildquellenverzeichnis

|Schede, Hans-Georg, Freiburg: 93.1, 95.1; Christoph Amberger 121.1; Illustration: Adolph Menzel 86.1, 99.1, 103.1, 107.1, 111.1, 112.1, 113.1, 114.1, 115.1, 117.1, 123.1, 128.1, 129.1, 130.1, 131.1, 137.1, 139.1, 143.1, 144.1, 145.1, 146.1, 147.1, 149.1; Miniatur von Peter Friedel, 1801 2.1; Radierung von David Joseph Desvachez 148.1; Radierung von Jean Jacques le Veau 89.1. |Städtische Galerie im Lenbachhaus und Kunstbau, München: Karl Bauer CC0 1.0 / Inventar-Nr. G 4482 / https://www.lenbachhaus.de/entdecken/sammlung-online/detail/heinrich-von-kleist-30006403 150.1.

Druck A2 / Jahr 2024
Alle Drucke der Serie A sind im Unterricht parallel verwendbar.

Redaktion, Satz, Erläuterungen und ›Leben und Werk im Überblick‹: Dr. Hans-Georg Schede, Freiburg

Layout: Yvonne Behnke, Berlin
Druck und Bindung: Westermann Druck GmbH,
Georg-Westermann-Allee 66, 38104 Braunschweig

ISBN 978-3-14-**120057**-7